D0347477

Brad Pitt ou mourir

SYLVAIN D'AUTEUIL

BRAD PITT OU MOURIR

Les Éditions des Intouchables bénéficient du soutien financier de la SODEC, du Programme de crédits d'impôt du gouvernement du Québec et sont inscrites au Programme de subvention globale du Conseil des Arts du Canada.

Nous reconnaissons l'aide financière du gouvernement du Canada par l'entremise du Programme d'aide au développement de l'industrie de l'édition (PADIÉ) pour nos activités d'édition.

LES ÉDITIONS DES INTOUCHABLES
2316, avenue du Mont-Royal Est
Montréal, Québec
H2H 1K8
Téléphone : (514) 526-0770
Télécopieur : (514) 529-7780
www.lesintouchables.com

DISTRIBUTION : PROLOGUE
1650, boulevard Lionel-Bertrand
Boisbriand, Québec
J7H 1N7
Téléphone : (450) 434-0306
Télécopieur : (450) 434-2627

Impression : Transcontinental
Photographie de l'auteur et de la couverture : Karine Patry
Modèle de la couverture : Sonia Beauvais
Infographie et conception de la couverture : Benoît Desroches

Dépôt légal : 2005
Bibliothèque nationale du Québec
Bibliothèque nationale du Canada

ISBN 2-89549-187-9

REMERCIEMENTS

À mon parrain littéraire, Michel-Pierre Sarrazin, pour son temps, ses recommandations et ses encouragements.

Au trio des Beatles de la Drague, François Lamarche (le téméraire), Michel Lavoie (le séducteur) et Jean-François Comeau (le p'tit parleur, grand faiseur), dont l'enthousiasme, la disponibilité et l'ouverture m'ont grandement inspiré.

À mon comité de lecture (Alexandre Labelle, India Desjardins, Alain Levasseur, Marie-Andrée Cyr, Marie-Denise Tremblay, François Lamarche et Michel Lavoie), pour sa précieuse collaboration.

À Marc Fisher, pour ses conseils et une importante suggestion sans laquelle je ne signerais pas ce roman.

À mon éditeur, Michel Brûlé, pour avoir permis à un illustre inconnu d'écrire sur son sujet fétiche, me donnant ainsi ma première chance, et à toute l'équipe des Intouchables, pour son accompagnement tout au long du projet.

Aux dizaines de personnes qui ont participé aux entrevues et éclairé du coup la réalité du célibat au Québec, de même que les difficultés des pères séparés à obtenir la reconnaissance de leur légitimité parentale.

À Marc Boilard, pour avoir accepté de prêter son personnage au « Hitch » de cette histoire.

À mes parents, pour leur soutien indéfectible.

Aux femmes qui ont bordé le littoral de ma quête masculine — tout, sauf un long fleuve tranquille.

Et le meilleur pour la fin… À ma muse, pour m'avoir amené à redéfinir mon modèle de la sulfureuse femme idéale, pour sa foi, son amour, ses critiques et ses idées, et pour avoir enduré toutes ces nuits de solitude, ces expériences de drague et cette anxiété des fins de mois depuis que ma plume sert davantage qu'à signer des chèques !

À Félix et Sarah-Maude, les « Sam » de ma vie.

À Johanne, ma Maya, celle qui m'a fait croire à nouveau.

MARDI 21 MAI 2002 :

Naziane

Je n'ai pas le *guts* de quitter ma femme.

Va pour ses crises d'hystérie imprévisibles. De nombreux hommes mariés les endurent. Va encore pour qu'elle me dénigre à cause de la précarité matérielle engendrée par mon sous-métier de scribouilleur pigiste. Après tout, elle est une professionnelle et c'est le lot de plusieurs dont l'épouse gagne plus qu'eux. Vrai qu'aucune femme ne m'a embrassé en trois ans et que j'en rêve toutes les nuits. Je pouvais comprendre : Naziane, ma femme, prétextait un problème d'intimité, causé par des viols multiples, et je ne suis pas un sombre salaud.

Bref, comme plusieurs hommes encroûtés dans leur relation, je me contente de peu. À l'image de ma vieille robe de chambre effilochée qui me sert de toge d'auteur les matins de création, ma vie conjugale est laide, me pue au nez et ne tient qu'à un fil. Cependant, elle entretient ma paresse. Elle est confortable. Elle me protège à moitié du froid de la solitude.

Mais, il y a quelques semaines, j'ai appris que, dans le fin fond de l'histoire, madame m'avait fait un enfant hypocritement, en me cachant qu'elle était lesbienne. C'était quelques jours après qu'elle m'eut balancé que je n'avais été que le géniteur de service; celui qu'elle avait dû marier pour bénéficier de la technique de fécondation *in vitro* — la seule méthode qui pouvait déjouer son infertilité. Quand je pense que j'ai été dupe à ce point…

Reste que je n'ai toujours pas le *guts* de quitter ma femme…

Pourtant, j'ai mille raisons de partir. Mon constat : je me suis créé une prison avec des briques de culpabilité, de faux confort et d'insécurité qui, empilées, ont fini par m'emmurer. Le solage de cette geôle : mon gars. Un seul regard dans le berceau de mon Sam, lui qui m'ouvre ses yeux, ses bras, son cœur à presque chacune de mes approches, et mes plans d'évasion flambent ; ils fondent, plutôt, comme un jouet de plastique dans un feu sans joie.

J'ai peur de le perdre. Et puis j'ai peur tout court. Je suis mort de trouille. Si je quitte la mère de mon fils, la bataille *jurifric* va durer le temps éclair de mes modestes économies ; Naziane va m'arracher la tête, comme si j'étais le fiancé éconduit d'une mante religieuse ensemencée, à coups de gueule d'avocate en appétit. Surtout que sa maîtresse *est* avocate — en droit familial qui plus est !

Un scénario de film d'horreur. Un torrent de sueurs froides. Le cauchemar absolu. Les esprits combinés de H. P. Lovecraft, de Stephen King et d'Edgar Allan Poe n'auraient pu imaginer un scénario plus tordu. Ma réalité dépasse leur fiction.

Déjà que le système favorise l'attribution de la garde exclusive des enfants à la mère dans 80 % des causes de divorce, je me retrouve plutôt mal barré, à court de munitions financières et juridiques.

Je suis tellement confus que j'ai fini par faire ce qu'un homme ne fait que lorsqu'il est désespérément désespéré : j'ai consulté. Car l'homme arpente les sentiers de la vie comme les routes sinueuses d'une campagne inconnue. C'est-à-dire sans jamais demander d'indications, aussi perdu soit-il. Jusqu'à ce qu'il aboutisse à un cul-de-sac. Là, si une jolie fille se pointe, peut-être osera-t-il lui demander quelque information… pour ensuite chercher à la faire monter sur le siège du passager.

Mon mariage avait bien le cul au fond du sac. Je n'ai pas croisé de jolie fille pour m'indiquer la voie de sortie. Plutôt un gros homme sérieux empestant le tabac. Un de ces chauves à moustache qui, semble-t-il, tentent de compenser leur perte capillaire par un postiche pendu à leur nez. Lorsque j'ai rencontré mon psy pour la première fois, j'ai songé à une version *made in Quebec* de Dr Phil[1].

Je lui ai déballé mon scénario à la finale digne des films français les plus déprimants. Suffisant et au-dessus de mes

---

1. Dr Phil McGraw, gourou de psycho-pop et animateur-vedette à la télé américaine.

affaires, Dr Phil pompait sa pipe comme s'il croyait inspirer, par le filtre de son foyer, la sagesse de fantômes archétypes témoins de ma *symphobie* pathétique. C'est alors que je lui exprimais mon impuissance à prendre une décision qu'il a eu son idée de génie. Fronçant ses épais sourcils, il m'a soudain interrompu au beau milieu d'une phrase, rare occurrence, pour me demander: «Y a-t-il une chose au monde qui vous ferait encore plus peur que de quitter votre femme?»

J'ai longuement hésité. Puis j'ai pensé à ma phobie des hauteurs. «Un vol en deltaplane... Plutôt mourir... Pourquoi?»

SAMEDI 1ER JUIN 2002:

Le grand décollage

Quel con! Me voici sur le versant ouest du mont Yamaska, juché sur un promontoire à 700 pieds d'altitude. Je contemple l'Estrie déroulant à perte de vie ses plaines agricoles, là où je me planterai d'ici quelques minutes, sans doute casque premier, tel un concombre anglais dans l'humus de ma stupidité fertile. Dr Phil m'a convaincu que le simple fait de défier ma pire peur placerait celle du divorce dans sa juste perspective. Pour citer l'un de ses jeux de mots soi-disant spirituels: «Si vous réussissez à décoller en deltaplane, vous atterrirez célibataire.» Assurément qu'un saut suicidaire du genre me fera quitter ma femme, et pour un monde meilleur en prime. Fallait bien un psy à soixante dollars l'heure pour me dégoter pareille solution...

Après de courtes recherches, j'ai opté pour le parapente, apparemment beaucoup plus maniable que le deltaplane. Le parapente est au deltaplane ce que l'empalement est à la guillotine: on voit venir la mort plus lentement. À une vitesse maximale de 50 kilomètres à l'heure, pour être précis, harnaché en position assise sous une voilure souple en forme de serviette hygiénique. Je l'ai interprété comme une métaphore de circonstance. La structure plus rigide et aérodynamique du deltaplane permettant des vitesses de pointe de 120 kilomètres à l'heure, les nouveaux deltistes doivent débuter en tandem avec leur instructeur. En contrepartie, il est permis d'effectuer son premier vol de parapente en solo. Les instructeurs demeurent alors en contact radio, sans plus. Et Dr Phil était formel: «Il vous faut affronter seul votre peur de la mort, sinon vous serez condamné à la vie à deux!»

N'importe quoi.

Après quelques leçons de base en après-midi, ponctuées de petits planés à moins de deux mètres du sol, mon destructeur — une espèce de *dudeman* californien à la tignasse blonde décolorée — m'a déclaré «prêt à faire le grand saut». Il est donc 19 h et, planté tel un condamné à mort volontaire sur le calvaire de l'idiotie, je tente de me convaincre que je ferai le *grand sot*. Le début de soirée est préférable pour les débutants. On dit qu'on vole alors en air calme. Sauf que j'ai l'air de tout, sauf *calme*. Je tiens les freins les poings crispés, mes jambes amollissent et ma cervelle s'occupe à jongler avec les mots partageant le préfixe «para».

Parapente, paralysie, paraplégie, parapsychologie...

Interrompant la suite logique de mes idées, Monsieur Surf des Airs tente de me rassurer avant de me rappeler les directives essentielles: «N'aie pas peur, les conditions sont idéales. Tu fonces quand t'es prêt! Lorsque la voile se gonfle, tu n'oublies pas de courir à fond, OK?»

Pas un nuage dans le ciel. Un petit vent de face s'engouffre dans la voilure. C'est maintenant ou jamais... Mes jambes s'activent, faisant fi de tout instinct de survie.

«Allez, Stéphane, plus vite!»

Le *dudeman* m'a certainement hypnotisé. Mes jambes ne répondent plus qu'à ses ordres. La pente raide m'oblige à *sprinter* au maximum. Ma vie défile devant mes yeux et, dans un élan de lucidité, je pense à me rouler par terre pour couper court à cette folie suicidaire. Trop tard: le parapente m'entraîne vers le haut, mes pieds quittent le sol.

«Bravo! beugle Mister Cool. Fais juste suivre la dénivellation de la pente et ça va bien aller.»

Sauf qu'un coup de vent ascendant nourrissait d'autres projets pour moi. Je me suis senti aspiré vers les hauteurs. Initialement, j'ai paniqué. Puis, un inattendu mouvement de paix intérieure a dissipé toute appréhension. Ou j'étais subjugué par la vastitude des cieux ou ma cervelle hyperventilait: j'ai choisi de ne pas freiner. Au bout de quelque temps, un deuxième instructeur, celui-là devant m'accueillir à l'atterrissage, s'est manifesté:

«Hé, Markie, ton nouveau prend de l'altitude...

— Je le laisse faire pour tout de suite, *man*! a répondu Mister Cool.

— C'est ton oiseau…

— C'est bien, Stéphane, je te laisse aller, mais vas-y mollo et reste proche du nid.»

Je lui ai répondu en me penchant vers la gauche et l'appareil a bifurqué majestueusement vers le sud.

«Markie… Ton moineau… Il met le cap sur la Floride!

— Hé, *man*… Transfère ton poids à droite et freine un peu, OK?

— T'avais pas dit qu'il avait le vertige, ton coco?

— J'sais pas ce qui lui prend!»

Je ne l'ai jamais su, moi non plus… Les paroles de Dr Phil me revenaient à l'esprit: «À 1 000 pieds d'altitude, vos problèmes auront la taille de minuscules fourmis que vous exterminerez sans peine!» Ce taré avait raison. Naziane était devenue fourmi. Je n'avais plus peur de Naziane.

Après un atterrissage peu glorieux à un kilomètre du point de repère convenu, le cul dans les ronces et enguirlandé par un Mister Cool un peu moins cool, j'étais résolu à l'action. Il n'y aurait plus une contrainte pour m'arrêter. Plus une menace pour m'intimider. Plus une voix, plus une femme pour me contrôler. J'ai foncé chez moi, le pied dans le tapis, pour annoncer à Naziane que je la quittais.

***

Il y avait cependant une donnée que j'avais omise dans l'équation: l'intuition féminine.

Fatale erreur.

Je n'ai rien annoncé à personne. C'étaient plutôt les déménageurs du Clan Panneton qui avaient des nouvelles fraîches pour moi: la maison était vide. Ils refermaient la porte coulissante de la caisse dans un crissement infernal lorsque je suis arrivé. L'un d'eux, voyant ma tête ahurie, a craché par terre avant de m'envoyer un «désolé, vieux, c'est pas ta journée!». Une pancarte de Re/Max finissait de me convaincre: ma femme avait préparé le coup depuis un bon bout de temps et avait profité de mes trois jours passés en Estrie pour mettre son plan à exécution.

J'ai rapidement fait l'inventaire de ce qui restait à l'intérieur. Quelques outils et autres cossins métalliques dans le garage, la vaisselle bon marché laissée-pour-compte dans les armoires, quelques bibelots abandonnés çà et là, les centaines de livres empilés à l'endroit où régnait encore ce matin la rangée de bibliothèques murales, et enfin mes vêtements jonchant le sol de la chambre à coucher à l'étage. Mon vide intérieur a trouvé toute sa résonance dans celui de la chambre de mon Sam. Il n'y avait plus que le bleu ciel des murs et la bande de tapisserie ornée de ballons multicolores pour me rappeler son univers. Je n'ai pu y assumer sa perte plus de dix secondes. Je suis redescendu presto au rez-de-chaussée, où l'essentiel de mon avoir occupait désormais six pieds carrés dans la salle à manger: ma table antique sur laquelle étaient posés mon ordinateur personnel et notre album de mariage, puis, gisant sur le plancher, mes guitares, mon amplificateur et quelques boîtes d'effets divers. Rien d'autre. Pas même un mot à mon attention.

Après avoir tenté en vain de rejoindre Naziane sur son cellulaire, mon premier réflexe a été de contacter son frère à la boîte de conception graphique dont il est le grand patron. Il a paru surpris de la nouvelle. Puis je me suis rendu, sur les chapeaux de roues, à la maison cossue de la maîtresse de ma femme dans l'espoir d'y rattraper la fugueuse. Mais le coup avait été bien orchestré. *Idem* pour le scénario: pancarte Re/Max, Clan Panneton et maison vide, sauf pour quelques meubles et un mari encore plus sidéré que moi. François ne savait même pas que sa femme le trompait avec la mienne… Par contre, il était moins dépouillé que moi; il lui restait un lit, un sofa, la télé et les électroménagers. Comme j'étais pour partir, son regard bleu profond s'est fait insistant. Ses yeux plissés de chien battu clignaient, dans ce tic qui s'empare de lui chaque fois qu'il mijote une émotion et s'apprête à la livrer.

« Eh, Stéphane, j'veux pas rester tout seul, pis Mado m'a laissé tout le contenu du bar… Ça te tente-tu de m'aider à le vider ? »

Gin, vodka, rhum, bière… Nous avons bien arrosé nos confidences, stupéfaits par les événements, devant une pizza et un match de baseball sans intérêt. François avait du matériel pour cligner des yeux sans arrêt. Autant je vomissais mon fiel sur les amantes, autant les émotions de mon nouvel ami se retournaient en grande partie contre lui. « C'est de ma faute, j'aurais donc dû... » est rapidement devenu son slogan de prédilection. J'ai découvert un homme dépourvu de malice. Prévenant envers moi comme un grand frère et sans un mot aigre à dire contre quiconque. Je trouvais dégueulasse que sa Mado ait planté un si long couteau dans le dos d'un gars au si bon cœur.

« Les seuls biens qui nous restent sont complémentaires, mon Stéphane. Tu devrais venir demeurer icitte pour un boutte. Je fais le meilleur Kraft Dinner de Laval ! »

À deux heures du matin, ronds comme des ivrognes, François m'a aidé à transporter mes choses chez lui (ou plutôt chez elle, si je me fie à ses dires) dans un vacarme de tôle et de rires. La tôle du fond de sa remorque et les rires des fonds de bouteille. C'est un miracle qu'aucun voisin n'ait alerté les flics.

J'écris donc ces lignes chez la maîtresse de ma femme, où je serai bientôt malade et passerai ma première nuit de célibataire.

Sans commentaire.

LUNDI 1ER JUILLET 2002 :

Libre

Il y a de ces gens qui sont d'insupportables miroirs de vos propres inepties. François est de ceux-là. Non content de me renvoyer le reflet de mes tares, il les grossit à la puissance dix. C'est moi en plus fauché, plus dépendant, plus démoli par une femme encore plus cruelle et plus riche que Naziane.

Je le connaissais déjà un peu, François. À une époque, nos deux couples se fréquentaient. C'est le bon Samaritain qui donne sa chemise à qui la demande, un éducateur spécialisé admirable d'efficacité auprès des jeunes ados dont il redresse le parcours, pour une bouchée de pain, au mieux de ses capacités et dans le respect de leur volonté. Mais, à la chaumière, quel mollusque de première ! Le prototype même de l'Homme Whippet[2]. Le genre qui appelait sa femme « maman ». C'est tout dire ! Sa Mado avait de quoi virer lesbienne !

---

2. Titre d'un livre de Charles Paquin portant sur la mollesse de l'homme québécois.

Pas que je sois bien placé pour parler, surtout que, question de virilité, mon estime en a pris une en pleine prostate. L'orientation sexuelle de ma femme est une chose. Mais j'ai dû bouffer un peu trop d'émotions ces dernières années. À 35, ans avec 35 livres en surcharge, disons que j'évite les miroirs. Et François s'est rapidement imposé comme le premier miroir à fuir. Las de l'entendre dire, entre deux bouchées de macaroni au fromage, que nous aurions pu prévenir la fuite de nos femmes au royaume du saphisme, j'ai décidé de trouver un endroit à moi pour crécher. De toute façon, il lui fallait quitter la maison de son ex-femme.

Ce n'est pas que François m'était devenu antipathique. Je lui suis reconnaissant de m'avoir ainsi accueilli à bras ouverts. Jamais même une de mes blondes n'avait été à ce point au-devant de mes besoins, autant à l'écoute. Le café fumant sur la table le matin, les « comment te sens-tu aujourd'hui » et autres « fais-toi-z-en pas, tu vas revoir Sam », ainsi que les nombreuses heures qu'il a prises pour retaper le tas de ferraille qui me sert de bagnole. Pour un temps, sa présence avait été réconfortante et je dirais même nécessaire.

Mais je suis heureux d'avoir mon chez-moi aujourd'hui. Une garçonnière meublée au sous-sol d'un bungalow niché sur le flanc du mont Habitant, dans les Laurentides. Après quatre années à dormir au gaz au dortoir de Laval, je me suis dit que l'air vivifiant du Nord me ferait du bien. Surtout que mes parents habitent Saint-Sauveur (après une méchante débarque, il fait bon débouler pas trop loin de ses parents) et que le logement était disponible pour trois fois rien. Ce qui est déjà, tout compte fait, trois fois ce que je possède.

Toujours serviable, François m'a aidé à déménager mes quelques possessions. Il vient de quitter mon nouveau nid. Il est tard, il fait nuit et j'ai froid. Je ferme la lampe de chevet, me couvre un peu. Je suis seul. Pour la première fois en plus de quatre ans, je me retrouve vraiment seul. Mélange d'anxiété et d'un sentiment exaltant de démarrer une nouvelle aventure dans un monde que je devine à la fois hostile et foisonnant de possibilités. Je me dis que c'est un peu comme cela que doit se sentir un nouveau-né. Et comme l'image d'un tout petit bébé se forme en moi, il prend le visage de Sam.

Ce qu'il peut faire froid en juillet.

MERCREDI 17 JUILLET 2002 :

Libre II

Il y a maintenant plus d'un mois que Naziane m'a plaqué. Malgré ma propre intention d'en finir, c'était comme si elle m'avait largué d'une montgolfière à 1 000 pieds du sol. Et depuis mon expérience de parapente, en matière de Mongol fier de défier la loi de Newton, je sais de quoi je parle. Mais là, je m'étais senti encore moins brave. Comme si j'exécutais un saut de l'ange, en chute libre, nu comme un ver — sans parachute.

Le genre de vol plané qui m'a rendu ivre de liberté, avec par contre cette fâcheuse certitude que j'allais me casser la gueule en retombant sur terre.

Pourtant, je serais hypocrite de prétendre vivre une peine d'amour. Ce qui était là, c'était seulement la maudite frousse d'être seul. « La vie solitaire n'a que l'ombre pour parure », disait l'Ivoirien Charles Nokan. Peur de mon ombre... c'est tout moi, ça. Même peu flatteur, le miroir de l'autre est moins dérangeant que celui de son lac intérieur — quand on prend le risque et le temps de se mirer dedans, s'entend. Et le célibat, ça m'en donne, du temps. Le temps de penser à ce que j'ai fait jusqu'ici de mon temps.

Après avoir attrapé le virus de l'amour à 19 ans, j'ai toujours eu une fille dans ma vie. J'ai toujours été *deux*. Pas été célibataire pour plus de sept semaines bien comptées. Aujourd'hui, je brise mon record personnel. Je fête ça en grand, à la Marc Déry dans sa chanson *Libre* : « Je me suis fait venir du poulet, après j'pense qu'y a du hockey. [...] J'ai ramassé deux films au dépanneur en passant. Un film de cul, un film de guerre... Ah ! ça, ça faisait longtemps ! »

***

Pour ce qui est de mon ex, pas de nouvelles. C'est fou quand tu y penses : tu établis un dialogue quotidien avec un être humain pendant des années et, du jour au lendemain, les ponts se coupent et t'en es quitte pour diffuser un avis de recherche aux autorités pour retracer ta famille ! Pas revu mon Sam non plus, évidemment. Je m'ennuie de lui... C'est son souffle court dans mon oreille, lorsque je le berçais pour l'endormir, qui me manque le plus. J'inspirais un peu de sa vie ainsi, je crois. Oui, il m'inspirait la vie, moi qui flétrissais comme un gros fruit blet. Parfois je me demande, Sam, si tu n'es pas encore trop jeune pour te rappeler que t'as eu un papa à qui tu manques...

DIMANCHE 11 AOÛT 2002 :

Libre III

Quand tu te retrouves seul après avoir habité avec une femme pendant des années, il y a une étape de compensation obligatoire. Hypothèse de durée : deux semaines par année de cohabitation. Personne n'y échappe, j'en suis certain. C'est l'espèce de mouvement du balancier qui nous fait justice après une comparution plus ou moins prolongée au tribunal des compromis.

Un : la bouffe

Exit la luzerne ! Je multiplie les arrêts dans les *fast-foods* quand bon me chante et je me fais livrer une pizza tous les trois jours, entre les overdoses de beurre de pinotte. C'est plus fort que moi, je trouve déprimant de préparer des repas quand je suis seul à en profiter. D'ailleurs, le premier pote que je me suis fait, c'est le traiteur italien du village. Quand j'ai le goût d'un petit quelque chose de plus *raffiné*, son veau parmigiana fait l'affaire.

Deux : la télé

Dehors *Virginie* à 19 h et vive RDS ! Le plaisir boulimiquement retrouvé de m'avachir devant le football une ou deux fois par semaine avec ma p'tite bière, et de me louer, lorsque le sport de salon prend congé de l'antenne, encore et encore des films d'action et de cul. À moi les orgies de testostérone et à bas les bons sentiments. Et, liberté suprême, rire à gorge déployée des blagues de David Letterman sans avoir à subir le chantage émotif d'une Germaine en jaquette grand-mère qui vous ordonne de réintégrer la chambre à coucher, histoire de jouer les nounours de service pour endormir madame.

Trois : la musique

Prendre un peu congé d'Aznavour et de Cabrel pour tonitruer du Led Zep à décaper les murs. Et pourquoi pas : me défouler sur ma Stratocaster, *full* distorsion, pour accompagner Jimmy Page.

Quatre : la déco

Juste être capable de placer mon bureau et mon sofa où je les veux dans l'appart, accrocher au mur mon laminage de Lamborghini, puis exposer mes « horribles » trophées de journalisme sur l'étagère supérieure de la bibliothèque parmi ma collection de bouteilles de bière importée. Pour la touche finale, laisser traîner une chaussette ici et là, ça change des bâtonnets d'encens : quelle extase !

Cinq : le sexe

Regarder *Bleu Nuit avec* le son et *sans* la culpabilité. Enfin, avec un soupçon de culpabilité... On n'efface pas une enfance à l'eau bénite du jour au lendemain. Mais à en juger par ma version bien personnelle du *tennis elbow*, le *penis wrist*, je travaille assez fort là-dessus ! Puis, je me le suis promis pour un de ces soirs : le pèlerinage sacré au temple des danses à dix.

Ça fait plus d'un mois que je vis ce régime. Comme je me relis, une réflexion tente de parcourir mes neurones enduits de l'huile à friture ingérée lors de ma dernière escapade au Kentucky de Sainte-Agathe : « J'viens pas juste de décrire ce qu'il adviendrait d'un ado laissé seul à lui-même, là ? »

Sans doute la voix de mon ex-femme. *Switch* à *off*... zap !

LUNDI 19 AOÛT 2002 :

Retour à la réalité

Le Québécois moyen va au club de danseuses un minimum de trois fois dans sa vie : pour célébrer ses 18 ans, la veille de son mariage et quelque temps après la séparation — les trois tournants de l'*hommitude*. La première fois, c'est pour célébrer la future découverte de la femme, la seconde, pour célébrer la découverte de sa femme et enterrer toutes les autres, et la troisième, c'est pour enterrer sa femme et espérer redécouvrir toutes les autres, ainsi que l'innocence de ses 18 ans…

C'est au club de danseuses que j'ai touché le fond. La face entre les fesses de Brenda, j'ai compris que je n'aurais plus jamais 18 ans et que le trip Déry avait assez duré. Que c'est d'une vraie femme que j'avais envie, et que ce n'était pas en m'empiffrant de malbouffe pour entretenir mon pneu quatre-saisons que j'allais en séduire une. Et avant de séduire, il faut rencontrer, et ce n'était pas en m'enfermant entre quatre murs (d'un appart ou d'un isoloir) que j'allais y arriver. Puis vient un temps où les engueulades entre Pierre Rinfret et Michel Villeneuve[3] rendent sénile. Vient un temps où l'actrice porno Jenna Jameson perd de son mystère. Vient un temps où, dans un *grand* un et demie, les possibilités de réaménagement intérieur s'épuisent. Est arrivé le jour où Cabrel a repris son charme, et cette semaine j'ai loué trois comédies romantiques. Dixit Déry : « La liberté, j'en voulais pas tant que ça. »

De toute façon, le réveil a sonné aujourd'hui. Fini le *party*. J'ai reçu des nouvelles de mon ex par l'intermédiaire d'une convocation. Pas à la cour mais bien au bureau d'une psychiatre qui évaluera ma capacité parentale. Naziane m'ayant utilisé comme banque de sperme, mon avocate m'a prévenu qu'elle voudra probablement me discréditer pour m'enlever la possibilité de réclamer les intérêts de mon capital en me retirant toute forme de garde.

Ça va me coûter un bras pour me défendre. Mais *hanzaï* ! Elle n'arrivera pas à me couper les jambes…

---

3. Débatteurs de l'émission sportive *110 %*.

SAMEDI 24 AOÛT 2002 :

Brad Pitt

En attendant l'évaluation, il me faut des diversions. Surtout ne pas trop remuer toute cette trahison, sinon je vais virer fou à lier. Je me suis mis à l'exercice physique et remis à la guitare classique. Mais plus important encore, ayant fait le vide autour de moi depuis le déménagement (je ne réponds aux appels de François qu'une fois sur trois), il m'est maintenant devenu impératif de socialiser.

Premier pas dans cette direction : j'ai accepté un emploi de journaliste à temps partiel à l'hebdo culturel *Branché*, de Saint-Sauveur, pour lequel j'écrirai trois ou quatre textes par semaine. Ce job complétera mes piges journalistiques, histoire de m'impliquer dans la région et de m'y créer un réseau — et aussi, je ne m'en cache pas, de ramasser le fric dont j'aurai besoin pour payer les frais de divorce.

J'ai aussi accepté une invitation de mon traiteur italien, Michele (que tous appellent Mike), pour aller jouer une partie de *pool* au bar L'Escale, un trou rétro sympathique où les barmaids sont superbes et où il est possible de causer sans porte-voix.

Mike est un Casanova. La trentaine bien engagée avec un petit air de *crooner*, les cheveux châtains courts à la coupe tendance et aux mèches blondes, mon nouvel ami a les petits yeux perçants du faucon pour bien repérer sa proie et la mâchoire carrée du fauve capable de n'en faire qu'une bouchée. Son teint hâlé, il le doit davantage au studio de bronzage qu'à notre été radieux, car Mike doit passer le plus clair de ses journées enfermé dans sa cuisine. Côté vestimentaire, il semble sortir tout droit d'une pub de GAP : jeans et t-shirt ajustés mettent en valeur sa carrure de *gym junkie* et sa taille svelte de mannequin. J'ai songé à Brad Pitt à la seconde où je l'ai vu. Un joyeux fêtard aussi. Au bar, c'est le *king*. Sourire à gauche, bise à droite, tous le connaissent et lui ouvrent grands leurs bras. Surtout la gent féminine. Je ne suis pas un fifon, mais sa beauté exubérante me gêne par moments, c'est tout dire.

À côté de lui, je passe tout naturellement inaperçu. Mais je suis habitué à ce genre de situation. Au cours de l'adolescence, j'étais l'équivalent — toutes proportions inversées —

de l'incontournable grosse laideronne des groupes d'amies. Grand pic de 6 pieds et 130 livres tout mouillé, j'étais le rigolo de service pour les copains. Un Stan Laurel boutonneux. D'ailleurs, la grosse laideronne et moi finissions souvent nos soirées ensemble, comme Laurel et Hardy. Un vrai duo de *physical comedy*. Puis, en vieillissant, j'ai pris du poids. Beaucoup de poids. Depuis l'âge adulte que j'en traîne en surplus. Bref, moi et la popularité dans les bars — comme n'importe où d'ailleurs —, connais pas. J'ai compensé par la gentillesse. Eh, que les filles me trouvent fin !

« On va toute changer ça, mon Stef! m'a assuré Mike en dégustant sa Guinness. T'es pas laid pantoute, tsé. T'as juste pas le *mojo, man* !

— Le... quoi ?

— *Le mo-o-ojo* ! La *drive* du mâle. La confiance de celui qui sait qu'il peut charmer n'importe quelle fille... Regarde-toé, t'es *stiff* comme une barre à clous, pis t'as l'air bête comme un condamné à mort... C'est quand, la dernière fois que t'as baisé ? »

Ça faisait plus d'un an. Je ne réponds pas, tellement je suis embarrassé. Il prend ma tête entre ses mains.

« Quand cé, la dernière fois qu'on t'a dit que t'étais beau garçon ?

— Attends... Je pense que ça me prendrait une séance de *rebirth* pour remonter jusque-là. Parce que ça devait venir de ma mère... tsé : juste après l'accouchement ! »

Le sourire en coin, Mike siphonne son mégot de Gitane pour l'achever dans le cendrier. Le sourcil froncé, il s'apprête à me lâcher son diagnostic. Bon, le Dr Phil version Marc Boilard[4], maintenant !

« C'est ça, ton problème, *man*. T'es beau, pis tu le sais pas... »

Je vais dans un bar pour la première fois depuis mon célibat et je me fais niaiser par le don Juan de la place.

« Écoute, Brad Pitt... C'est un rendez-vous galant ?... Tu me cruises, ou ben quoi ? »

Il se met à rire en affectant un air de *drag queen*, avant de me coller un bec sur le front. Je rougis.

---

4. Humoriste et conférencier qui distribue des conseils sur la drague.

«Je t'aime, toé, mon Stef. T'es un vrai comique!»

Je l'aime bien finalement, moi aussi. Sa façon de tout prendre du bon côté, de désamorcer mes drames. Sa légèreté compense ma lourdeur. Et son baratin simpliste me donne envie d'y croire. Un peu comme toutes les filles qu'il doit attirer dans son pieu... D'ailleurs, je suis reparti seul, pendant qu'il attaquait un pétard de blondinette de 20 ans, maximum. Ça doit être tripant, la vie en Brad Pitt...

L'alcool m'est monté à la tête en même temps que l'espoir. J'imaginais des hordes de groupies me tombant dans les bras. Au retour dans mon appart, j'ai déposé avec joie ma caboche sur l'oreiller, avec les tympans qui battaient encore la mesure de *Eye of the Tiger*. Faut bien un trou rétro de la campagne pour me remettre *Eye of the Tiger* dans la tête: «Va toutes les knocker, Rocky!» Et, à travers les brumes de l'ivresse, une résolution: je vais devenir un Brad Pitt. Ouais... je l'ai vraiment pensé. Pire, j'ai prié à voix haute:

«FAITES, MON DIEU, QUE JE DEVIENNE UN BRAD PITT!»

Maudite boisson!

MARDI 27 AOÛT 2002:

Le trac

Un Brad Pitt, ça n'a pas la poitrine de Junior Bougon. Conséquence de ma résolution: routine de *push-ups*. J'ai mal partout, ce qui a inspiré l'intro rigolote d'une chronique pour *Branché*:

«Vous connaissez le sous-scapulaire? Non, ce n'est pas un sous-fonctionnaire bossant pour le sous-ministre de l'Inaction démocratique. Mais il en a toutes les caractéristiques. C'est un micromuscle qui ne se fait remarquer que lorsqu'on exige de lui une tâche différente de sa routine habituelle. Le sous-scapulaire se terre sous le deltoïde et l'ensemble des deux couches supérieures de la coiffe du rotateur, comme l'autre sous la protection de sa convention collective et d'un amas de paperasse. Il m'aidait autrefois à pousser mon crayon et les touches de mon clavier.

J'ai fait la gaffe de l'assigner à 15 *push-ups* hier matin. Aujourd'hui, il m'a collé un grief.»

Parlant grief: la convocation chez la psy est pour demain. Ma gorge se noue juste à y penser. J'ai toujours été nerveux la veille des examens. Les enjeux n'étaient pourtant que *Statistiques 101*, *Économie 202* et *Marketing 303*. Demain, ce sera de réussir Parents 666: le seul cours sans manuel de base et pour lequel tous les profs vous ont préparés à l'échec. La pression est suffocante. Surtout que la psy sélectionnée est une suggestion du camp de Naziane. (Mon ex-femme les connaît bien: elle est psychologue!)

Pour me préparer à l'épreuve et me rassurer un brin, j'ai eu la merveilleuse idée de courir chez Dr Phil. Erreur! Lors de ma visite, j'ai laissé échapper la dernière question à poser à un psy: «Je crois être un bon papa potentiel. Qu'en pensez-vous?»

Conseil: ne JAMAIS demander à un psy ce qu'il pense de quoi que ce soit. Il vous renverra la question en pleine tronche. Je suis un journaliste, je crois, efficace. Je pose généralement les bonnes questions et, avant le terme d'une entrevue, le plus souvent j'arrive à savoir ce que je voulais savoir. Mais à un psy... J'aurais dû piger: je n'avais rien su de Naziane en trois ans!

Par contre, Dr Phil m'a félicité d'être parvenu à briser l'isolement, surtout aussi rapidement. Au sujet des femmes, il m'encourage à profiter de mon célibat pour passer au mode séduction, avec sa manière coutumière de tordre les proverbes en des slogans insipides: «Quand vous tombez de cheval après qu'une femme vous a fait chier, vous devez vous remettre en selle tout de suite!»

Et il se trouvait drôle...

Mais malgré le *pitch* de vente style info-pub de mon nouvel ami Mike, j'avoue que je ne me sens pas encore d'attaque. Les info-pubs sont comme ça: elles vous font acheter le produit, mais le doute s'installe dès que vous donnez la date d'expiration de votre carte de crédit au téléphone.

Un autre conseil que Dr Phil m'a donné, c'est de te dédier ce journal, Sam. Il prétend qu'en te décrivant mes états d'âme j'aurai l'impression de ne pas t'avoir abandonné et de jouer mon rôle de père — je n'ai toujours aucune nouvelle de toi, en passant. Puis il m'a fortement suggéré de t'écrire à propos de la femme, ce qui m'a amené à lui parler de mon Objectif Brad Pitt — autre bourde...

Il a ri, évidemment. Comment ne pas rire. Il a tout de même cherché à m'encourager: « La mission paternelle du mentorat de Sam, même s'il ne lit votre journal que dans une quinzaine d'années ou même jamais, vous fournira toute la motivation nécessaire pour partir à la conquête de la femme moderne dans ce qui s'avérera un voyage au bout de vous-même! »

Il avait toujours de ces formules grandiloquentes. Comme si le défi d'escalader quelques nénettes équivalait dans mon cas à la position d'un alpiniste amateur au pied de l'Everest...

***

Je suis donc sorti de chez Dr Phil plus anxieux que jamais. Décision: *ciao*, Dr Phil! Finie la thérapie bidon pour moi. En revenant chez moi, le voyant carmin du répondeur clignotait. Parmi les messages, un énième de François m'apprenait cette fois qu'il s'était installé à Val-David pour s'éloigner de la banlieue, qui lui rappelait trop son ex-femme. Ne connaissant personne dans le coin, il désirait qu'on aille prendre un pot ensemble. J'avais besoin de lui parler de ma convocation du lendemain et, juste au cas où il en aurait, de prendre des nouvelles de Naziane et de toi, mon petit Sam.

Je l'ai donc rappelé en lui promettant de l'inviter à ma prochaine beuverie avec Mike...

Bonne nouvelle pour lui: sa Mado ne fait pas pression pour qu'il renonce à leurs deux enfants. Il faut préciser qu'ils sont plus vieux que toi, Sam. Âgés de 6 et 9 ans, ils seraient capables de faire la révolution pour revoir leur père.

Mauvaise nouvelle pour nous deux: les tourterelles sont parties se bécoter à Ottawa *(of all places!)* dans le but d'y installer leur nid d'amour. Nous aurons donc à nous taper 10 heures de route (l'aller-retour deux fois) les week-ends où nous ramènerons notre progéniture dans les Laurentides. Et encore, seulement si la troisième guerre mondiale se solde en ma faveur et qu'on m'accorde des droits de visite.

Croise tes droits, Sam.

MERCREDI 28 AOÛT 2002 :

Mon petit bout de Sam

Le grand jour. Mme Yvette Lépine — c'est le nom de la psy — me reçoit à son bureau de consultation, dans le sous-sol de son domicile de Mascouche. Elle m'invite à m'asseoir, puis quitte le petit local mal éclairé.

Une minute plus tard, coup de théâtre. Elle est revenue avec toi dans ses bras, mon petit bout de Sam. Oh ! oui, mon petit bout rose que je n'avais pas vu depuis 2 mois, 27 jours et 13 heures — presque la moitié de ta jeune vie ! Mes yeux se sont embués. Tu as hésité avant de rejoindre mes bras tendus. Ça m'a fait un sacré choc. Mais aussi, mon cœur a fait crac ! lorsque j'ai senti que j'étais un étranger pour toi. C'est normal, mon petit bonhomme. On t'a arraché de mes bras avant même que tes neurones aient pu enregistrer le mot « papa ».

Je ne voyais plus clair. Une explosive infusion de joie noyée dans mes sanglots de tristesse. J'ai éclaté. Ça m'a pris au moins dix minutes pour reprendre une certaine contenance. Me viennent des flashs de toi : tu pleurais aussi. Je sentais nos larmes chaudes s'unir en un ruisseau d'affliction sur ma joue droite. Je te serrais si fort que t'as dû virer bleu... Ne m'oublie plus jamais.

Ensuite, le calme revenu en moi, tu t'es aussi, par miracle, apaisé. Pendant que la psy tentait le plus sérieusement du monde de me poser des questions sur ce que je ressentais pour mon fils, et le type de relation que j'entendais développer avec lui, et quoi encore... Je n'avais plus d'oreille pour l'impertinente. Que des yeux pour tes yeux. Leur couleur : bleu de mer comme ceux de ta grand-mère. Je savais que ses gènes l'emporteraient ! Et je me suis rappelé tes lèvres charnues (2-0 pour grand-m'man !) et puis ce corps élancé pour un bébé (moi, enfant) et ce teint laiteux et ces cheveux blonds (là, c'est ta mère). Tu as pris le meilleur de nous tous. Super bravo, ti-nomme ! Après un temps, tu as commencé à t'impatienter. Les bébés, ça veut grouiller librement. Alors je t'ai laissé jouer avec des balles et de gros dominos sur le tapis. J'étais en pâmoison devant toi, rien de moins.

Puis soudain, comme j'allais te reprendre dans mes bras, la psy a consulté sa montre et t'a éloigné. Notre temps était compté. Elle a agité ton bras de guenille en guise d'au revoir et t'es reparti, sans doute retrouver la chaleur réconfortante de ta maman. Avant de disparaître, tu as fait une moue bizarre. Difficile à dire si c'était de la tristesse ou un sentiment d'inconfort. Moi, ça me rassure de croire que t'étais triste de me quitter. Mais je ne me leurre pas tant que ça : je devine bien que tu m'avais oublié dès que maman est apparue. Pas vrai ?

Pour le reste, j'ai subi — c'est le cas de le dire — trois heures de tests de toutes sortes. On m'a demandé à quoi me faisaient penser des taches difformes — je te voyais dans toutes. Puis des pages et des pages de tests psychométriques. J'étais tellement déstabilisé par mes retrouvailles avec toi que j'avoue ne pas avoir été capable de me concentrer. Mes yeux trempés brouillaient la lecture. Au bout de trois pages de questions abrutissantes, j'ai décroché. Sam, tu obsédais ma pensée. Je répondais n'importe quoi. Presque au hasard. La catastrophe.

Un seul conseil aux papas qui auront à répondre à ces questionnaires à la con : inscrivez qu'avant même de penser à faire autre chose vous rangez toujours votre bureau. Car on teste au moins quinze fois votre sens des priorités à cet égard. Ça doit être saprément important. Avant de songer à prendre l'air, de clore une affaire, de vous taper votre secrétaire, avant même de sauver vos collègues d'une tour en flammes : rangez votre foutu bureau ! Oui, un bon papa responsable, il est propre, il est rangé, il est gentil, il dit toujours oui, il est anal, il ne sait pas passer aux actes ou s'amuser, mais au moins il range son crisse de bureau ! ! !

Petite anecdote : lorsque la psy m'a montré une image d'une femme aux sourcils froncés et à la bouche en rictus de haine, pour me demander un souvenir ou une émotion que cela évoquait chez moi, m'est venu un flash de Naziane me saisissant à la gorge lors d'une de ses mémorables crises d'hystérie où il m'est parfois arrivé de devoir l'immobiliser pour stopper la pluie de coups de poing et de pied. J'ai fait la gaffe de le partager. La psy a laissé tomber la feuille d'un geste théâtral, m'a toisé des pieds à la tête, pour me traiter de manipulateur en rajoutant qu'avec ma stature je ne ferais « brailler personne » !

C'est avec de tels préjugés qu'on tait la violence faite aux hommes. Ça m'a rappelé un édito où j'écrivais qu'on tait aussi les études, comme celle rapportée par le journal *American Behavioral Scientist* et basée sur les rapports de police qui dénombrait des blessures graves chez 14 % des femmes contre 38 % des hommes victimes de violence conjugale, les femmes ayant apparemment tendance à utiliser différentes *armes* beaucoup plus souvent que les hommes. Ou bien on maintient le silence entourant le sujet tabou de la violence répétitive touchant 46 % des lesbiennes en couple[5]. Ou encore on balaie sous le tapis le fait que les mères blessent et tuent davantage leurs propres enfants que les pères.

La violence n'a pas de sexe. Elle est aussi la face cachée de la lune. On ne doit jamais la banaliser, peu importent sa forme et sa provenance. Car la violence se transmet même lorsque les coups sont neutralisés. Les bleus guérissent, mais le cœur reste meurtri.

Maintenant, j'ai besoin d'un défoulement d'un tout autre genre : une soirée entre *boys.*

***

Chose promise, chose due. J'ai invité François. Nous avons passé la soirée (et une partie de la nuit) à L'Escale. Au menu : billard et bière… un torrent de bière. Nous avons aussi beaucoup jasé. Surtout des femmes. Un ami de Mike, Johnny, est venu se joindre à nous. Un courtaud à la bouille sympathique. Il est garagiste et prend presque tous ses lunchs du midi à l'échoppe italienne de Mike.

Nos quatre caractères sont aux antipodes : Johnny le pragmatique rationnel, François l'extraverti émotif, Mike le séducteur métrosexuel[6] et moi le… mais qui suis-je, au juste ? Pour eux, je suis l'intello introspectif.

Mais peu importe nos disparités, notre principal point commun est que nous avons tous subi un cuisant échec

---

5. Sources : Jane Garcia (1991) dans son étude sur des lesbiennes interrogées pour une thèse de doctorat. Aussi : V. E. Coleman. (1990). *Violence Between Lesbian Couples : A Between Groups Comparison. Doctoral dissertation* (University Microfilms No. 9109022). Coleman arrivait au même pourcentage.

6. Terme inventé par l'auteur Mark Simpson en 1994 pour désigner un homme narcissique, obsédé par son apparence et par la mode.

amoureux au cours des dernières années. Même Mike, à ma grande surprise, s'est fait laver par son ex après un très bref mariage. « On ne m'y " rependra " plus ! » deviendra son slogan. La blonde de Johnny l'a quitté dès son accession au barreau. « La tabarnak, elle a étudié sur mon bras pendant quatre ans pour me domper là parce qu'elle espérait plus de la vie. Je n'étais plus assez bon pour elle. Pas assez cultivé, pas assez raffiné, pas assez bien habillé. Pas assez bien payé, oui ! »

Nous avons vidé tout notre sac. François, le sauveur dépendant affectif du groupe, aurait sans doute souhaité qu'on forme sur-le-champ un mouvement pour la défense des droits de l'homme en détresse. Au terme de notre troisième tournée, il tenait son bock haut et fort, cillant des yeux à répétition, comme s'il était sur le point d'accoucher d'une déclaration solennelle. « Les gars, j'sais pas ce que vous en pensez. C'est ben cool d'être ensemble, des gars qui se ressemblent (*vraiment?*), avec le même *background* (*vraiment?*)... Ce serait le *fun* qu'on tisse des liens d'amitié, qu'on se voie souvent... »

On s'est tous regardés en silence. Il y a des choses qui ne se demandent pas. L'amitié, comme faire l'amour ou embrasser, en fait partie. Un ange est passé et le pauvre François s'est soudain senti mal à l'aise, l'embarras lui rougissant les oreilles. Nous ne pouvions ainsi laisser tomber un nouvel ami irrésistiblement sympathique. D'un accord tacite, nous nous sommes levés en bloc pour nous joindre à son toast d'amitié dans un grand éclat d'hilarité.

Après tout, il est évident qu'on se tiendra ensemble pour un bout de temps. Du moins tant que nous serons célibataires... Aussi, nous nous sommes découvert une autre affinité (ou une excuse pour nous revoir) : la musique. Par la plus spectaculaire des coïncidences, il appert que Mike chante et joue de la basse, Johnny de la batterie et François du synthé. Avec moi à la guitare, ça fait un *band.* On tentera bientôt l'expérience d'un *jam.*

« Brad Pitt and the Losers... ça te tenterait pas ? ai-je lancé à Mike.

— Pourquoi pas les Beatles de la Drague ? » a plutôt suggéré François, qui tient absolument à ce que l'on sorte dans les bars pour terroriser la gent féminine.

Nouveau prétexte à un toast de solidarité mâle en croulant de rire. Je n'ai rien contre Dr Phil, mais je me dis que le simple fait de déconner entre gars autour d'une table de billard et de quelques bières est la meilleure thérapie qui soit.

JEUDI 5 SEPTEMBRE 2002 : Sarajevo

Va bien falloir redoubler de sérieux à l'entraînement pour faire disparaître ces poignées d'amour que je palpe à deux mains ! Discipline quotidienne composée d'une quinzaine de minutes d'exercices cardio à moyenne intensité (j'ai fait l'acquisition d'un vélo elliptique), de dizaines de pompes, d'une longue marche introspective à l'air frais de la montagne et d'un régime alimentaire raisonnable. Bon, 210 livres. Optimisme : j'ai perdu 5 livres sans trop forcer, mis à part les défaillances cardiaques conventionnelles du débutant : la première ascension du mont Habitant le ventre à terre, le premier *push-up* le ventre à terre et l'inévitable choc syncopal causé par la première séance au miroir de l'Adonis en devenir… le ventre à terre !

Je me suis conçu une fiche d'entraînement où je note mes progrès. Me voici donc atteint du syndrome de Bridget Jones ! Je comptabilise tout. Surtout ce qui est superficiel. Je n'ai pas la patience de convertir ce que j'ingurgite en nombre de calories, mais je note le kilométrage parcouru, la quantité de pompes réussies, la durée de mes marches, et je me pèse chaque matin — un vrai maniaque.

Je me prépare pour la guerre. Le peigne entre les dents, j'ai emmagasiné des munitions d'anecdotes et de Clorets, prêt à dégainer le briquet à la moindre occasion.

Car c'est bien de cela qu'il s'agit : une guerre. Apparemment, les choses ont bien changé sur le front du célibat depuis la dernière fois que j'y ai vraiment mis les pieds. C'était en 1984. L'année des Jeux de Sarajevo. Premier constat de retour sur le marché : c'est comme réintégrer Sarajevo 20 ans plus tard sans avoir consulté les bulletins de nouvelles. C'est le choc.

Car vois-tu, mon petit Samuel, on ne parle plus d'un marché mais bien d'un champ de bataille. La séduction ne serait plus un jeu mais un enjeu, une affaire de stratégie. J'ai adoré le passage du roman de Rafaële Germain, *Soutien-gorge rose et veston noir,* où l'héroïne s'adressait à son père en lui disant qu'il était dépassé dans sa vision de l'amour et qu'il ne pouvait comprendre son monde plus *évolué.* Voici ce qu'il lui a répondu: «Vous vous vautrez dans les complications. [...] Il faut toujours que l'autre ne soit pas au courant de votre affection, ensuite il faut se faire la cour sans en avoir l'air, vous faites l'amour à des gens que vous n'aimez pas et vous entretenez des relations platoniques avec ceux que vous aimez... [...] vous êtes une drôle de génération.» Et, basant sa thèse sur le comportement de gamine de l'héroïne de la série à succès *Sex and the City*, son père conclut: «On dirait que vous avez peur de l'amour.»

Déformation professionnelle oblige, mon nouveau statut de célibataire a entraîné l'inévitable boulimie d'autres livres sur l'inépuisable sujet des relations hommes-femmes. Denise Bombardier, Yvon Dallaire, Colette Dowling, Guy Corneau et Charles Paquin font partie de mon quotidien. Et leur constat, il n'est pas plus encourageant, mon petit homme.

Moi, je te le dis: c'est la peur qui a fermé nos cœurs et rendu impossibles nos relations avec les femmes. La peur, c'est le sida du troisième millénaire. Nous mettons des capotes sur nos cœurs dès que nous rencontrons quelqu'un susceptible de nous intéresser. Dès que l'autre nous parle d'amour, nous rationalisons qu'il doit être victime du Syndrome Imminent de la Dépendance Affective.

Et faute de se laisser aller, les nouveaux amants sautent les étapes. Et l'étape la plus fréquemment sacrifiée est celle de savourer la passion. La peur nous place tout de suite dans la phase de lutte pour le pouvoir. On ne veut pas que l'autre connaisse nos désirs, nos intentions, notre amour ou notre attirance, car cela lui donnerait un ascendant sur nous. Or, comme l'a dit Carl Jung, «l'opposé de l'amour n'était pas la haine, mais le pouvoir».

Oui, la peur est le nouveau sida, la dernière venue des maladies transmissibles affectivement. Elle se propage de relation brisée en relation brisée. Ou plutôt de cœur brisé en cœur à briser. Héréditaire, transmise aux enfants du divorce, l'épidémie se propage à leurs *chums* et à leurs blondes. Le taux de divorce s'élève de manière exponentielle. Sam, parfois j'ai peur de ce qui va advenir de ta génération, celle des enfants des enfants du divorce. Il est de plus en plus rare de rencontrer une fille qui a grandi dans un milieu stable, sain et sans problème majeur, où l'amour filial, familial et conjugal affluait au quotidien. Et il n'y a pas que les livres pour me le confirmer. Autour de moi, c'est l'hécatombe. Mes amis — les hommes comme les femmes — sont à peu près tous des divorcés meurtris ou des célibataires désillusionnés. Tous, sous leurs capes de *superwomen* et de *supermen* de l'autonomie, sont paralysés par la peur de l'amour, comme je l'étais par celle des hauteurs sur le mont Yamaska avant de plonger dans le vide.

Bref, à la veille même de sauter à mon tour dans la mêlée du célibat, je m'alarme. Et pas à peu près.

Malgré sa difficulté, le sujet m'obsède. Plutôt habitué à pondre des textes sur des thèmes culturels et d'affaires, j'ai approché la direction du magazine *Ève* afin de lui soumettre, par pure préoccupation personnelle, une proposition d'article de fond sur le célibat phobique des années 2000. La rédactrice en chef s'est montrée *a priori* plutôt froide à l'idée de publier sur un sujet qu'elle jugeait un peu dramatique. Mais j'ai réussi à la convaincre qu'un tel article gagnerait l'intérêt de son lectorat s'il était écrit dans une perspective masculine. Je lui ai fait valoir que, habituées aux sempiternels tests de psychologie à deux sous et aux 10 trucs pour séduire un mec, les femmes branchées sur *Ève* apprécieraient cette diversion épicée d'un brin de provocation. Je viens de terminer l'article sur le sida du troisième millénaire. À suivre, pour les réactions qu'il suscitera…

Pour l'instant, j'ai besoin d'une pause cynisme. L'amour peut-il exister? Tout de suite, par pur instinct, j'ai pensé à mon *chum* Julien. Sa petite famille respire l'amour. Je vais justement souper chez lui après-demain. Ça me fera sûrement un bien fou.

SAMEDI 7 SEPTEMBRE 2002:

L'amour hormonal

Mon Sam, l'amour sans peur est à l'image d'un gène récessif. Dès qu'on le croise avec le gène de l'amour blessé, il lui cède la place. Mais l'amour sans peur est aussi un aimant atypique qui attire souvent son semblable. Julien en est l'exemple parfait. Issu d'une famille de trois enfants soudée par une bonne dose d'amour inconditionnel, Julien a lui-même répété la formule. Il s'est attiré une douce femme sans bibittes et de leur union sont nés trois enfants. *Idem* pour le frère et la sœur de Julien : trois mômes et des mariages heureux qui durent depuis encore plus longtemps que le sien.

Quand je suis frappé de désillusion chronique, contaminé par mes propres échecs et ceux des autres — et Dieu sait qu'ils sont faciles à observer ; par exemple, mes deux parents sont les cadets de familles de 13 enfants, deux douzaines d'oncles et de tantes aux familles dysfonctionnelles ou disloquées, qui ont commis des enfants encore plus *fuckés* —, je n'ai qu'à franchir la grande porte ouverte de la demeure de Julien pour redécouvrir que la chaleur d'un foyer familial inébranlable, ça existe. Un amour résistant à l'usure du quotidien : c'est possible. Selon les statistiques, ces grands amoureux représenteraient moins de 20 % des couples engagés. Pourcentage sûrement plus faible pour les unions de ma génération. Ces amoureux tranquilles se terrent dans leur bonheur sans histoire. Ils ne défraient pas la manchette. On parle ici d'une minorité invisible.

Une minorité qui cherche aussi à se reproduire. Les couples heureux sont tous ainsi : ils veulent vous abonner à leur bonheur. Alors, bien intentionnés, ils vous convient au sport le plus redouté du célibataire : la *blind date* !

Elle s'appelle Catherine et ils ont eu l'amabilité, à ma demande, de ne l'inviter que pour le café. Au cours du souper, mon plan initial fonctionnait rondement. Le séjour au cocon familial idéalisé régénérait une certaine confiance en l'amour. Jusqu'à ce qu'on parle de la chose en question… C'est de ma faute, j'ai enfreint la règle non écrite stipulant qu'il est préférable de le faire plutôt que d'en parler. Dès que le mot est sorti de ma bouche, inévitablement, l'une des fillettes de Julien, les sourcils exagérément froncés, a demandé ce que c'était, l'amour.

Julien a répondu, comme tout bon papa répondrait à une petite fille de 4 ans, que l'amour était le fruit de la rencontre d'une femme et d'un homme, « comme quand papa et maman se sont vus pour la première fois », et bla-bla-bla et bla-bla-bla. C'est tout juste si la cigogne, les abeilles et la fleur n'ont pas été appelées à comparaître. Geneviève, son épouse, s'est adressée à moi dans un vocabulaire un tantinet plus pragmatique : « Voilà une explication qui vaudra jusqu'à l'adolescence. »

Devant mon incompréhension, elle a poussé un soupir de sympathie condescendante :

« L'amour, ça n'existe pas. En tout cas, le cœur n'a rien à voir là-dedans.

— Pardon ? » ai-je demandé d'une voix blanche.

Elle ne va pas s'attaquer à ma dernière illusion. Pas *elle*. Pas *la* femme de mon *seul* modèle conjugal positif. Là, j'ai vu mon Julien rouler des yeux. Il savait ce qui s'en venait. Et Geneviève de disserter brillamment sur la chimie de l'amour. Les phéromones messagers de compatibilité, la phényléthylamine qui rend aveugle et la dopamine, stupide, « c'est juste ça, la passion : deux borgnes imbéciles chimiquement compatibles », dira-t-elle entre deux bouchées de viande. « Et pour finir, histoire d'injecter une dose de bravoure à celles dont le cerveau se réveillera avec assez de lucidité pour bien observer le gars qui ronfle à côté d'elles, avec un peu de patience, elles auront droit à des *fix* d'oxytocine et d'endorphines pour produire l'amour attachement, ou ce qu'on appelle communément la tendresse »... Bordel !

Ouf ! Ça refroidit une soirée...

C'est que la belle est endocrinologue. Mon pote, qui est lui-même médecin, a bien tenté de défendre son point de vue, indéniablement plus romantique. Mais sa Geneviève rechargeait à flots d'hormones aux terminologies complexes. Une vraie Beigbeder[7], version scientifique. La pression de mon copain grimpait à la seconde.

Nous en avons été quittes pour une engueulade d'une demi-heure, par moments aussi passionnée qu'une partie de coups de gueule entre bleus et rouges. Et il n'était pas ici question de politique. L'une voyait rouge, l'autre virait bleu. Ce n'était pas rose. À la fin du souper, tous broyaient du noir. Un lourd silence régnait.

---

7. Frédéric Beigbeder, auteur du roman *L'amour dure trois ans*, dans lequel il avance de multiples théories sur le caractère éphémère de l'amour.

C'est alors que Catherine a fait son entrée en scène. « Mon Dieu ! On dirait un enterrement ! »

Sa voix chantait le Saguenay, enjouée et claire comme de l'eau cristalline. Je lui tournais dos, affairé à débarrasser la table. En faisant volte-face, j'ai découvert une fille toute menue, au *look* sans prétention qui mettait en valeur son joli minois encadré d'une courte coiffure carrée, brune et lisse. J'ai songé à Audrey Tautou. Comme elle quittait son manteau, j'ai regretté que sa blouse ample, de bon goût, ne laisse rien entrevoir de ses formes.

« Y a quelqu'un de mort ? a-t-elle demandé pendant que les enfants se ruaient sur elle à grands cris comme pour la dévaliser d'un trésor de bonbons.

— Oui, l'amour ! » ai-je répondu.

J'ai capté son attention. Catherine a feint un air étonné et grave.

« L'amour est mort ?

— Exactement. Il ne serait que pure illusion d'ordre chimique, imagine-toi donc ! C'est scientifiquement indiscutable, selon Geneviève.

— À voir leurs têtes, ça ne se discute pas. C'est certain ! (*Elle haussa le ton à l'attention de sa bonne amie.*) Mais c'est impossible, Geneviève. Voyons ! L'amour, c'est plus grand que nous. C'est d'ordre divin !

— ...

— Divin ? ai-je demandé avec une moue sceptique. En fait, si je m'en tiens à la logique cartésienne, Dieu ne peut exister. Du moins, pas tel qu'on l'imagine. Désincarné, Dieu ne peut réagir à aucune hormone. Or, pure déduction, Mme Watson : l'amour étant hormonal, si Dieu existe, il n'aime pas. Et s'il n'aime pas, alors j'imagine que Dieu, c'est le Diable. C'est pourquoi il a créé l'amour hormonal : pour se venger de l'Homme et le faire damner ! »

Sourire délicieux aux lèvres de la brunette.

« Alors, pour résumer, si je comprends bien, l'amour est mort, Geneviève est une adoratrice de Satan, et elle veut nous *matcher* pour qu'on brûle en enfer ? »

J'ai ri et le courant est tout de suite passé. J'adore les filles qui ont le sens de l'humour. En raison de la tension qui chargeait l'atmosphère chez nos amis, nous avons décidé de ficher le camp illico. Pendant que Catherine cherchait vainement à dérider sa grande amie, Julien, tout penaud, m'escortait jusqu'à la porte et, voyant mon malaise, il a cherché à me rassurer: « T'en fais pas, Stéphane. Ça va bien entre Geneviève et moi. C'est juste que le seul sujet sur lequel on ne s'entend pas, c'est l'amour. »

Je ne pense pas qu'il se soit rendu compte de l'ironie du propos.

***

19 h 30: Catherine et moi avons mis le cap sur la rue Saint-Denis. Il y avait pas mal de monde au bar Saint-Sulpice, mais nous avons réussi à trouver un coin plus tranquille pour faire connaissance. Rigolote, la répartie facile; traductrice de culture moyenne, fin vingtaine et fraîchement séparée après un mariage de 5 ans. J'apprécie surtout ses yeux allumés, son sourire communicatif. Et elle vient du Lac. Ça, les gars savent ce que ça veut dire…

22 h: Après nous être un peu raconté nos vies, nous sommes allés vibrer à l'atmosphère du Bistro à Jojo. Le *band* déménageait. Du bon blues texan, sale et musclé, comme je l'aime. Catherine avait le diable au corps, elle est vraiment sexy quand elle bouge. Agile, fofolle, elle a le sens du rythme et c'est tripant de la voir danser. Elle aurait été une patineuse artistique de haut calibre avant de se marier. J'ai su qu'elle était une fille chaude dès qu'elle s'est blottie tout contre moi en glissant sa main sous mon pull, lors du premier blues cochon du *set*. Ce qu'elle pouvait être aguichante…

1 h: Nous avons échoué dans un bar à l'ambiance plus intime et dont je ne me rappelle plus le nom. Nous commencions alors à être pas mal bourrés. La chimie était indéniable. Nous déconnions sur tout ce qui nous passait par la tête.

3 h: Nous avons remonté Saint-Denis à pied jusqu'au Rapido. C'est bizarre, ce que je vais écrire, mais j'avais l'impression que c'était elle la prédatrice et moi la proie. Catherine me dévorait des yeux. Elle m'expliquait qu'elle ressentait des « papillons de velours dans l'estomac », une sensation similaire à ce que sa meilleure amie aurait vécu lorsqu'elle avait rencontré l'homme de sa vie. Puis elle en mettait: « T'es si beau. Tes mains d'artiste, ta carrure, ton visage. J'suis pas dans la même ligue que toi. Pince-moi ! » Etc. Etc. Etc. Je sais maintenant ce qu'une femme ressent devant un bellâtre latino qui lui chante la pomme à en perdre celle d'Adam. Dieu du ciel que ça fait du bien à l'ego ! Et si Mike avait raison… et que je n'étais finalement pas si laid que ça ? Et si mes efforts à vélo étaient récompensés ? Et si par alchimie ma prière avait été entendue et que j'étais en processus de mutation en Brad Pitt ? Ses compliments me montaient à la tête pour y rejoindre les vapeurs d'alcool en un cocktail vraiment planant. Nous avons partagé une frite au resto 24 heures et, vers 5 h 30, nous avons pris la direction du mont Royal.

6 h : La radio jouait *Aux portes du matin* alors que la ville entière se réveillait sous nos yeux. Les premières lueurs de l'aube éclairaient son visage déjà illuminé des feux de l'exaltation lorsque je l'ai embrassée pour la première fois. Un simple effleurement des lèvres. Le feu d'artifice. Embrasser une fille pour la première fois en près de quatre ans, ça rend dingue. Un baiser, un simple contact peau contre peau, l'échange d'un code secret : on ne peut tricher avec la compatibilité des corps. Et pour paraphraser Geneviève, disons que les phéromones attaquaient fort ! La blouse de Catherine bâillait suffisamment pour laisser présager une très forte poitrine. J'étais tenté d'aller plus loin, mais elle était vannée. J'ai fait le gentleman en la laissant s'endormir, la tête posée sur mes genoux, tout en lui caressant les cheveux. Une pluie monotone s'est mise à tambouriner sur le toit de la voiture et je me suis assoupi à mon tour. Je l'ai reconduite chez elle vers 9 h avec promesse de se revoir.

C'était certes l'une des nuits les plus romantiques de ma vie. Merci, Catherine !

Je viens de rentrer chez moi avec — pour déformer les paroles de Richard Séguin — les godasses dans la bouette et plus rien à perdre. Je déconne. Ce doit être la phényléthylamine.

DIMANCHE 15 SEPTEMBRE 2002 :

Kamasutra

J'ai revu la belle Catherine ce week-end, après avoir repoussé toutes ses invitations à la rejoindre pendant la semaine.

Sur les conseils de Mike, j'ai joué à l'indépendant, à l'agace, juste pour attiser le feu. Je l'ai plutôt invitée chez moi vendredi soir. Mise en scène efficace et classique: petit souper à la chandelle, musique jazzée, longue séance de *necking* sur le sofa. La magie opérait, la bouffe était numéro un (Mike s'était surpassé).

Je l'ai invitée à rester pour la nuit, mais je me suis refusé à elle. Ça l'a rendue folle... Le lendemain, à l'aurore, elle m'a sauté dessus. Nous avons fait l'amour quatre fois en épuisant tout l'imaginaire du Kamasutra. C'était dément. À un moment précis, alors que je lui possédais la croupe en levrette, j'ai croqué dans le miroir du placard la réalisation d'un fantasme d'adolescent. Le temps de quelques secondes, j'y ai vu se profiler les sinuosités de son corps de bombe sexuelle: ses seins volumineux ondulant sur l'oreiller à la fréquence de nos ébats, son dos arqué, son visage grimaçant d'extase. Pour un instant, j'étais un étalon culbutant une déesse porno. Une image qui restera indélébile dans la galerie photo de mes annales érotiques. Merci, Catherine, pour ce moment, cette journée. Merci, Catherine, de m'avoir permis de t'embrasser si souvent en moins de trois jours, ce que Naziane n'avait jamais fait en trois ans de mariage. Si j'en avais eu des séquelles, me voilà guéri.

VENDREDI 4 OCTOBRE 2002:
La règle des 3 E

Mon petit Sam, comme j'ai décidé que tu liras ce journal à tes 16 ans, j'aimerais bien alimenter ta poussée libidineuse en te décrivant les nouvelles positions coïtales que l'agilité grand-ballet-canadiennesque de Catherine nous permettait. Mais c'est un épisode de ma vie, pas de celle de San-Antonio (si ça t'intéresse, je te propose *Bravo, docteur Béru*).

Dans les jours qui ont suivi nos prouesses, Catherine a mis le pied sur l'accélérateur de la relation. Le premier jour, elle voulait être sacrée blonde «officielle». Pour ce que ça veut dire... OK. Le deuxième jour, elle est entrée en transe et m'a attribué le rôle de héros-disparu-au-champ-de-bataille-quil'a-laissée-veuve-engrossée-dans-l'une-de-ses-vies-passées... *Flyé*, mais je suis un gars ouvert. Le troisième jour, je lui parlais de mon ambition de passer quelques années à l'étranger comme journaliste correspondant et elle a juré vouloir me suivre à Los Angeles, à Beyrouth ou au Darfour... Ma trachée s'est rétrécie d'un millimètre, mais j'ai trouvé ça *cute*. À la fin de la semaine, elle s'est mise à me décrire sa hâte de me voir téter son lait maternel. Là, j'ai osé poser une question :

« Ton... lait ? T'es pas censée tomber enceinte pour produire du... lait ?

— Oui, c'est sûr, mon lapino-boubou (*elle avait commencé à parler en bébé le quatrième jour et à me prêter les pires sobriquets débandants le cinquième*). Je veux avoir des enfants... éventuellement... et toi... et moi... »

Et là... j'ai *freaké*.

Je lui ai diplomatiquement énoncé ma règle personnelle des trois E. Il s'agit d'une liste de trois mots à éviter durant les six premiers mois d'une relation : Enfants, Engagement et Éternité. J'ai aussi suggéré la règle des alcoolos (posologie : mantra à répéter toutes les trente minutes, surtout après avoir orgasmé) : « un jour à la fois »...

En un éclair, son visage est passé d'Alice au pays des merveilles à Linda Blair au pays de Lucifer.

« Un autre gars qui veut pas s'impliquer ! »

J'ai cherché à la raisonner. Mais pourquoi le réflexe de Pavlov ne fonctionne-t-il pas toujours avec nous, les gars ? NE JAMAIS TENTER DE RAISONNER UNE FILLE ! On se fait sonner les cloches à tout coup, mais ça ne nous entre pas dans le ciboulot ! Catherine s'est soudainement souvenue qu'elle avait mal à la tête. Elle m'a quitté avant la fin de la soirée d'un petit bec sec du bout de ses lèvres pincées.

Suis-je « amourophobe » à mon tour ? Suis-je de ceux qui condamnent trop rapidement les élans passionnés ? J'ai tenté de reprendre contact avec Catherine...

Une semaine s'est passée sans renvoi d'appel. Puis une deuxième. Geneviève m'a raconté que sa *chum* était retournée en braillant ses regrets chez son ex. Ils se remettent ensemble.

Une fois le choc initial encaissé, j'ai compris que la patineuse du Saguenay était probablement en amour... avec l'amour.

Cinq leçons à retenir de cette aventure, mon Sam :

- La chose la plus facile à faire est de s'embarquer avec une fille. Mais après à peine un mois de fréquentations, c'est rarement la meilleure chose à faire. Souviens-toi de la règle des 3 E.
- Une fille sur le *rebound* qui enfreint avec trop d'insistance la règle des 3 E est à un coup de fil près de retourner chez son ex.
- Ce genre de fille aime la sécurité et cherche un père, pas un *chum*.
- De manière générale, les filles qui s'engagent aussi vite sont celles qui demandent le divorce les trois quarts du temps. Et ce n'est pas pour rien : elles ne savent même pas qui elles ont épousé...

Ah oui ! J'allais oublier la cinquième :

- Les patineuses artistiques font de sacrées bonnes baiseuses.

Mardi 8 octobre 2002 :

Père indigne

Le verdict est tombé : je suis un père merdique. En attendant le rapport détaillé qu'en fera d'ici quelques semaines la psychiatre, mon avocate m'a informé qu'on m'imposait les conditions suivantes :

1) La bonne nouvelle, Sam : je pourrai te voir un week-end sur deux, du samedi midi au dimanche avant le souper.

2) La mauvaise : ton seul dodo devra se faire chez tes grands-parents, lesquels devront superviser ma garde en tout temps. Je ne suis apparemment pas assez responsable pour qu'on me laisse seul avec toi.

La vie est ainsi faite que les saloperies vous arrivent par groupes de trois. Après Catherine et mon diagnostic de père incompétent, la fatalité voulait que je cause moi-même la troisième : je me suis tapé un McDo. Résultat : je me suis rendu malade. Le luxe du célibataire est de provoquer son propre malheur à rabais.

SAMEDI 20 OCTOBRE 2002 :

Meet the market

Le malheur est le truc minceur le plus sous-estimé. Et le plus magnifique aspect de ce régime est qu'il n'exige aucun effort. Ni discipline ni dépense énergétique. Au diable le vélo elliptique. Même que le truc suprême, la vraie diète extrême, c'est l'oisiveté — autre luxe du célibat. Je n'ai qu'à penser à ce que j'ai fait de ma vie pendant un après-midi, mon pouls s'accélère, pour que ma tension monte, que l'anxiété me fasse taper du pied à 100 battements/minute, et hop ! je brûle 1 000 calories.

Pourtant, M. Malheur a mauvaise presse. On lui reproche de ne pas s'annoncer, de ne jamais arriver seul et de prendre ses aises chez soi trop longtemps (pour le célibataire, il remplace ainsi la belle-famille), mais on ne lui donne jamais le crédit de repartir accompagné de quelques kilos. Depuis l'appel de l'avocate, je ne mange plus, ce qui m'a aussi inspiré plusieurs séances d'oisiveté. Symptôme inévitable : perte de sept livres en moins de deux semaines. Importante étape : je suis descendu sous la barre psychologique des 200 livres.

Merci, Malheur !

Mais maintenant je vais rejoindre les copains et il me faut te foutre à la porte.

P.-S. — Reviens juste avant le souper.

Pour chasser le *blues*, il n'y a rien comme le blues. Depuis trois semaines, je jamme avec Mike, François et Johnny. Nous nous amusons comme des p'tits ados dans le garage de leurs parents. Mais je n'y irai pas par quatre chemins : le résultat est atroce. B. B. King m'assassinerait à grands coups de *Lucille* sur la tête uniquement pour mon habileté naturelle à zigouiller en série ses meilleurs solos. Ma pire profanation est d'ailleurs de les imiter, alors que tout bluesman sait que l'improvisation est la seule approche à envisager.

Ce qui m'amène à un tout autre sujet, mon petit Sam, lequel requiert le même sixième sens de l'impro: la drague.

Au Québec, la drague est à l'amour ce que le dîner d'affaires est au commerce: la rencontre de deux êtres aux rires empruntés, trop conscients d'eux-mêmes, atriqués pour se vendre, dont l'un veut baiser l'autre et qui tous deux voudraient aller voir ailleurs s'ils y sont. La fille pour ne plus subir les singeries du mec dont le quotient intellectuel lui permettrait visiblement de poser sa candidature pour le poste de chaînon manquant. Le gars parce qu'il fait face à la hantise de tout humoriste: un mauvais public.

C'est qu'il faut être deux pour rigoler; du moins, ça aide. Les filles d'ici sont belles et sexy mais, lorsqu'elles fréquentent les bars, elles oublient au fond de leur trousse de beauté leur plus jolie parure: le sourire. Nous avons pourtant tout tenté. François avait même fait preuve de zèle: il nous avait dégoté dans Internet tous les trucs de drague inimaginables. Même leurs noms étaient rigolos: le coup de la tortue, le coup des faux cils, l'approche du «pari» et le romantique coup des étoiles.

Quatre soirées dans les boîtes. Que des airs bêtes.

Entendu à la radio:

«Les Québécois n'ont plus le sens de l'humour.

— Tu rigoles, nous tenons le record mondial du ratio d'humoristes *per capita*!

— Justement, on se bidonne tellement peu entre gars et filles qu'il nous faut payer pour rire au Québec!»

Le problème, c'est que François a déniché les techniques de *cruise* dans des sites français, et en France la drague est érigée en sport national. On y chante la pomme comme on respire. Ici, pas moyen d'approcher une demoiselle sans qu'elle soupire. «Les filles sont si froides et soupirent tellement qu'elles climatisent les bars du Québec!» m'a lancé Johnny — le *chum* garagiste de Mike —, un vétéran des boîtes un peu désabusé. En France, quand une fille vous envoie paître, ils appellent ce rejet une veste. Au Québec, on fait bien les choses: la fille fait baisser la température et vous fournit par la même occasion de quoi vous couvrir...

Moult approches. Que des vestes. Les gonzesses voulaient danser entre elles, boire entre elles, parler entre elles… François s'est même chopé une baffe et Johnny s'est littéralement fait envoyer promener à deux reprises.

Ça m'a inspiré mon prochain sujet d'article, intitulé « Honey, You Shrunk My Balls ».

Je l'ai proposé comme texte satyrique au *Toronto Star* en affirmant que, au rythme où la femme d'ici refroidit, la population canadienne-française est menacée de disparition. Ils l'ont acheté avant même d'en avoir lu une seule ligne… mais ils ont changé le titre. L'Ontario, c'est l'Ontario : l'important pour eux sera de leur promettre l'extinction du *Frog*. Pour le reste, ils ne réaliseront même pas qu'ils font face au même problème.

Mike ? Pour lui, c'était *business as usual*. M. Giorgio Armani a épuisé tous nos trucs de drague et en a même improvisé d'autres. En sa compagnie, les filles riaient comme des dindes. Il s'en est d'ailleurs farci une chaque soir. C'était prévisible : les boîtes de nuit ont été inventées pour les Brad Pitt. La musique y est souvent tellement forte que le fait d'être débile profond ne porte pas à conséquence, aussi longtemps que vous êtes beau mec. Pour les filles, c'est pareil. Les « top poules » ont préséance. Y a que le *look* qui compte. Ensuite, on se plaindra que ces endroits sont des *meat markets*.

Premier palmarès des dragueurs

	Moi	Jean	François	Mike
Baises	0	0	0	4
Téléphones	0	0	0	11
Vestes	Incalculables			2
Taloches et injures	0	2	1	0

Mercredi 25 décembre 2002 :

Québec Ice

Joyeux Noël, Sam. Ça me fait tout drôle de t'écrire ces mots alors que tu dors tout à côté de mon bureau (c'est la première fois que tu couches chez moi : évidemment, je ne respecte pas une des conditions qu'on m'impose). Tu es si près que j'entends ta respiration, toi le bébé innocent qui lira un jour ceci, cet univers de folie. Je me sens coupable en pensant que je dissipe par mes mots les rêves que tu n'as même pas commencé à entretenir à ton âge. Comme si j'amorçais une bombe qui explosera le jour de tes 16 ans alors que tu recevras en cadeau le vieux journal de ton père ; quoique j'en surestime probablement la portée. De nos jours, on ne peut même plus enseigner les dessous de la vie aux jeunes de 10 ans, qui croient déjà tout savoir… alors à 16 ans, en 2017, tu liras assurément ceci comme s'il s'agissait du dernier numéro de *Safarir.*

Que s'est-il passé de bon ces deux derniers mois, vas-tu me demander ?

Voici les grands titres :

- *Ève* commandite un *crash-course* intensif de drague
- Comment j'ai résisté à la métrosexualité
- Vive la Biélorussie ! Vive la Guinée ! Vive l'Italie !

ÈVE COMMANDITE UN *CRASH-COURSE* INTENSIF DE DRAGUE (ÉTAPE 1 : LA RECHERCHE…)

Le comité de lecture d'*Ève* a bien reçu mon papier sur le sida du troisième millénaire. La rédac en chef a rappliqué et m'a refilé une autre commande. Elle était ravie de ma suggestion plus légère d'un dossier sur la drague. Je lui ai parlé du palmarès qu'on tient, les copains et moi, et elle veut bien nous donner les moyens d'enquêter sur l'état critique dans lequel se trouve la séduction au Québec. Mais elle désire qu'on ratisse plus large que les bars. Elle m'a intimé l'ordre de pourchasser la femme partout où elle déambule: dans la rue, les supermarchés et les lavoirs publics... « Jusque dans les congrès et les week-ends de croissance personnelle, s'il le faut! »

Mandat ambitieux...

J'ai commencé par interviewer le spécialiste de la drague au Québec, le *playboy* Marc Boilard. Il m'a reçu au branché Shed Café. Très sympathique, avec ses petites lunettes rondes, il a davantage l'air de l'avocat intello qu'il doit être dans le quotidien que de l'ego-macho qu'il joue à la télé. Pour sa part, il ne croît pas que la femme québécoise soit fermée à la drague (on sait bien, c'est un Brad Pitt), mais il est demeuré coi quelques secondes lorsque je lui ai demandé si ses « top poules » semblaient s'amuser lorsqu'elles se faisaient « enchaîner » (ça veut dire draguer dans son lexique). Il a pris une gorgée de Coke Diète (décidément plus sage que sa réputation nous porte à le croire), puis il a admis: « T'as ben raison! J'avais jamais vu ça sous cet angle... Non, la femme s'amuse pas pantoute. La drague, pour elle, c'est comme un mauvais moment à passer. Une scène obligatoire avant d'aller plus loin dans la relation. »

Il a accepté de parrainer officiellement notre quatuor de tombeurs pour la série d'articles. Mais il nous prévient: « Y a rien à faire avec les filles d'ici. J'ai commencé à donner des *shows* et j'ai écrit un livre destiné aux filles, pour leur faire prendre conscience qu'elles ont un rôle à jouer dans la drague, qu'elles doivent être plus ouvertes à la sexualité si elles en ont envie, [...] mais je démissionne de la femme québécoise. Elle vient me voir après les *shows* et me dit: "Wow! j'allume, je vais aller poser des mines (*traduction: laisser voir mon intérêt aux gars qui me plaisent*), je vais m'éclater sans culpabilité", etc., pis rien ne change, elle retourne à ses vieux *patterns*... »

Si tu savais, mon pauvre Sam, tous les gars qui m'ont raconté leur désespoir devant la farouche résistance que leur opposent les Québécoises au jeu de la séduction. « Le moindre compliment hors contexte est sujet à plainte pour harcèlement sexuel », s'est indigné un gars interrogé au coin de la rue pendant un *vox populi*.

Même les femmes les plus ouvertes reconnaissent la piètre hospitalité de leurs semblables. India Desjardins, une auteure et journaliste qui écrit pour la jeune génération de filles, se montre sarcastique: «On lit tous les livres du genre: *Comment séduire?*, *Où rencontrer des hommes?*, *La séduction pour les nulles*… mais on ne pose aucun geste concret.» Denise Bombardier en remet, parlant d'inclure le comportement des filles dans la dynamique de l'échec du flirt: «[Elles] exigent d'être traitées en égales et ceux qui chantent trop fort cocorico devant elles provoquent sourires et haussements d'épaules. Les séducteurs en herbe sont à la recherche permanente de la bonne attitude[8].»

Oh! mais ne va pas croire que les filles sont avares de critiques envers les gars qui, selon elles (et moi), devraient se regarder dans le miroir! Car, paradoxalement, le nombre de femmes qui se plaignent de l'inaction masculine est effarant. La chroniqueuse Rafaële Germain, très représentative de l'ensemble, me racontait en entrevue que «les gars draguent pas pantoute et c'est lamentable! La subtilité est totalement exclue du processus de séduction. C'est: "Tu veux-tu, bébé… et hop!"»

Oui, lamentable! Beaucoup de gars m'ont avoué ne pas posséder l'instinct du prédateur, sans broncher, d'un ton monocorde, comme si c'était dans l'ordre des choses, comme s'ils parlaient du manque à l'appel de leurs amygdales, alors que pour n'importe quel Latino un tel aveu n'aurait d'égal que l'ablation de ses bijoux de famille. Une amie en rajoute: «On a beau émettre des signaux, les gars qui nous intéressent ne les captent pas et ceux qui nous *cruisent* ne nous plaisent pas… en plus de le faire tout croche!»

Nous irons donc enquêter sur le terrain pour vérifier tout ça…

COMMENT J'AI RÉSISTÉ À LA MÉTROSEXUALITÉ

Mais avant d'entreprendre la saison de la chasse, Mike m'a parlé franchement, pendant qu'il tournait sa pâte à pizza en des mouvements d'une extrême fluidité…

---

8. Tiré du livre *La déroute des sexes*.

« Écoute, Stef, j'veux pas te vexer… mais j'espère que tu penses pas aller s'a *cruise* de même…

— … (Mes yeux lui ont fait comprendre qu'il était mieux de trouver une bonne explication.)

— Ben, cé que t'as ZÉRO chance de pogner avec ton style… Si on peut appeler " style" ton *look* " *sweatshirt cocooning* / jeans délavés / *tan* Dracula / coupe comptable". Juste entre toé pis moé, cé pas parce que tu portes des *runnings* sur le *dance floor* que tu vas courir plus vite après les filles… Pis cé quoi, le tapis Austin Powers en 2002 ? »

Là, c'était clair : il m'avait piqué au vif…

« Tu peux ben rire de moé, c'est facile de s'habiller comme une carte de mode quand t'as la génétique d'un Brad Pitt de ton bord… Moé, j'aurais l'air RI-DI-CU-LE accoutré comme toé dans un bar. Les filles partiraient à rire…

— Au moins, elles partiraient pus en courant ! Partir à rire, ce s'rait déjà mieux : t'arrêtes pas de te plaindre que les Québécoises sont bêtes à chier… »

Puis il a laissé ses pizzas de côté, s'est lavé les mains et m'a pris par l'épaule d'une poigne solide. « Écoute, *man,* je vas te raconter que'q'chose… » Et il m'a servi un Chinotto…

Mike m'a avoué, non sans fierté, que les filles lui ont souvent rappelé sa ressemblance avec Brad Pitt. Tellement que certaines lui ont susurré, le lendemain matin d'une nuit olympique, qu'elles se convainquaient qu'il *était* Brad Pitt, une fois en pleine action dans la pénombre de la chambre à coucher. Le fantasme n'est pas surprenant puisque, à la suite d'un énième sondage déclarant Brad Pitt l'homme le plus sexy de la planète, 58 % des femmes célibataires interrogées ont affirmé au *Hollywood News* qu'elles sacrifieraient une année de baise pour une seule soirée de la Saint-Valentin en tête-à-tête avec lui !

Mais Mike m'a aussi confié qu'il n'avait pas toujours été un Brad Pitt. L'idée de sa « transformation » lui était venue en réaction au fait que sa femme avait été *enlevée* par un blondinet richard en BMW décapotable. Il me jure qu'avant il était grassouillet, les cheveux bruns, le teint « pinte de lait » et… poilu comme un singe.

« À partir de demain, on va toute arranger ça… », qu'il m'a promis avec son air de *big shot* tout droit sorti de la trilogie du *Parrain.*

Le lendemain, Mike est arrivé avec une série de magazines masculins auxquels il est abonné. La revue *GQ (Gentleman Quarterly)* est celle qui m'a le plus fait réagir alors que j'en tournais les pages illustrées d'androgynes imberbes aux poses alanguies. « Tu veux pas que je ressemble à ça ! ? » ai-je riposté en montrant du doigt un prépubère squelettique à la houppe de cheveux ridicule et dont la douceur était plus affichée que celle de la femme à laquelle il ajustait le soulier. Il était agenouillé devant elle comme un page devant sa reine. Quel choc ! On pourrait appeler ça *Gay Quarterly* ! Je me suis alors rabattu sur un *FHM*. C'est censé être le sigle de *For Him Magazine*... Essaie plutôt « Femme = Homme Métamorphosé ». Le contenu éditorial promettait pourtant de meilleurs augures avec des dossiers sur les motos et les sports professionnels, des dizaines de top modèles couchées à demi nues sur papier glacé et quelques chroniques nous préparant à mieux les conquérir. Mais quand je suis arrivé à la section mode : que des serins multicolores... C'est *ça*, le métrosexuel ? L'homme moderne ? Pendant que la femme se perce partout et se fait tatouer comme un motard, l'homme s'émascule lui-même ?

« Panique pas, Stef... Enlève les foulards fifs, pis oublie les efféminés qui portent les griffes. Le linge est cool...

— De toute façon, j'ai pas le *cash* pour me fringuer de même !

— Écoute, tes affaires vont se mettre à mieux aller, pis moé mon commerce roule à'planche. Tu me revaudras ça plus tard, *brother* ! »

***

Bon, journée métamorphose. Mike m'a accompagné à tous les jalons de la renaissance du mâle.

Première étape : la guenille. Môssieur ne s'habille que dans les boutiques huppées du centre-ville. Alors ce sera une matinée passée en la digne compagnie de Hugo Boss, Emporio Armani et Holt Renfrew. Au diable la dépense ! De toute façon, j'étais dû : j'avais perdu 25 livres et je flottais dans mes 40. Désormais, ce sera du 34 (j'étais d'ailleurs fier de ressortir une vieille ceinture de cuir que je portais au cégep). Mais je me suis limité à trois complets et à une paire de souliers — Gucci, évidemment.

Deuxième épreuve : l'épilation. Je n'ai qu'un mot : ouch ! J'ai du poil dans le dos et jusque sur les épaules. Va pour le dos, mais là s'arrête la tonte… Mike a eu beau protester, me vantant même les mérites du dépoilage des couilles à la pince à sourcils et l'anneau de cire autour du trouduc, j'ai passé mon tour. À ce que je sache, côté mode, les années 1970 sont de retour… le poil suivra. Vive Aldo Maccione ! De toute manière, je peux choisir de raser l'intégral en tout temps. Pour leur part, les accros du laser vont avoir peine à se faire repousser la toison…

Troisième arrêt : la coupe. OK pour le *look* dépeigné (à quoi bon aller chez le coiffeur pour ça, fouille-moi !), mais je n'étais pas encore prêt pour les mèches dorées. Je miserai plutôt sur mon côté TDH *(tall, dark and handsome)*…

Quatrième dépense : la parfumerie. Bleu de Ralph Lauren, l'harmonie parfaite. Il était temps que je sente autre chose que le jus de chaussette…

Pour finir, nous sommes passés tout droit devant le salon de bronzage. « J'irai prendre des couleurs au soleil l'après-midi, OK, Mike ? » Bref, je suis un homme neuf, mais j'ai respecté mon rythme…

Petit aparté : être une fille, je ne serais jamais capable de sortir avec un Brad Pitt métrosexuel. Je l'aime bien, Mike, mais au cours du dîner il a admiré au moins dix fois son reflet dans le pichet d'eau argenté, il a estimé le nombre de calories de *chaque* mets qui l'intéressait avant de brouter une salade, sourcillant comme une mère supérieure lorsqu'on m'a servi mon poulet cacciatore et se raclant la gorge lorsque j'ai commandé un pasticotto au chocolat (je l'ai fait exprès). La cerise sur le gâteau qu'il rêvait sans doute d'engloutir : toutes ses phrases débutaient par « je »… Indigeste.

N'empêche que son *coaching* décuplait mes chances de décrocher les cœurs. Du moins, je le croyais…

ÉTAPE 2 :
DRAGUER DANS LES LIEUX PUBLICS

Fin octobre. Été des Indiens. Centre-ville de Montréal. Nous nous apprêtons à investir les moindres racoins de la métropole pour draguer la femme en utilisant tout stratagème moralement acceptable — et encore! Pour quiconque est le moindrement introverti et réservé, l'idée d'accoster hors contexte des femmes dans les lieux publics n'est pas un concept évident. Johnny et moi sommes de cette nature et, à quelques minutes de jouer les grands séducteurs, nous avons le trac. Je vais découvrir jusqu'à quel point François est extraverti, mais à voir son pied battre la cadence d'un marteau-pilon, c'est sûr qu'il est nerveux. Mike? Au-dessus de ses affaires. C'est le franc-tireur de notre équipe, il le sait, et rien ne le perturbe...

La toilette des hommes du Burger King fait office de vestiaire des joueurs sous haute tension avant un match de hockey pour l'obtention de la coupe Stanley. Personne ne parle, on se distribue des tapes dans le dos, on prend de longues et profondes respirations, on replace son équipement et on attend que le *coach* arrive.

Apparaît Marc Boilard. L'air sérieux, il s'apprête à donner son discours d'avant-match:

«Les *boys*, si vous voulez mettre la *puck* dans le fond du *net,* faudra travailler fort dans les coins et pas avoir peur du trafic. Surtout que la première période va se disputer dans la rue, coin Peel et Sainte-Catherine. Jouez la *game* simple, pas trop de fignolage... Et n'oubliez pas: le cœur à l'ouvrage! Ça va vous prendre du *guts*: les filles vont vouloir vous fuir, vous rire en pleine face, vous démolir (*je verdis juste à l'entendre*). Mais dites-vous qu'il y en a au moins une qui va flancher, et c'est celle-là qui compte. *It's a numbers game, guys...* Pour le reste, vous connaissez le plan de match. *Let's GO, GO, GO!*»

Simiesque cri de ralliement dans les W.-C., à la suite duquel un gros épais est venu nous expulser du Burger King...

Cet après-midi-là et pendant tout le mois de novembre, pendant les week-ends et l'heure du lunch en semaine, nous avons *tout* tenté. Nous avons pourchassé des femmes rue Sainte-Catherine une rose à la main, foncé dans des paniers d'épicerie (à ne pas tenter dans votre quartier sans supervision), imité le scénario de la pub de gomme dans un lavoir où un mec arrive à la rescousse d'une fille subissant l'assaut d'un mauvais dragueur (le pauvre diable qui devait camper ce rôle!) et joué les experts mode dans les boutiques de chaussures... *tout.* Johnny et moi avons récolté notre part de sourcils froncés, d'invitations à la promenade en solitaire et de mots choisis fraîchement importés de la Beauce. Mais François s'est avéré spécialement doué pour le désastre. On aurait dit une adaptation des frasques de Wile E. Coyote dans un épisode de Road Runner : il s'est fait lâcher un rottweiler, sonner les clochettes, asperger les yeux par une hystérique munie d'une bombe lacrymogène, et la police l'a même arrêté dans un café pour avoir troublé la paix. Et on ne parle pas des injures et des baffes qu'il a essuyées. Ouf ! Il était temps que ça finisse... Cela nous a inspiré notre première composition : *Le Blues du Dragueur, ou les 50 façons de se faire envoyer paître !* Même Mike y est passé. Malgré certains succès isolés, l'étalon italien a dû subir plus d'échecs en un mois qu'au cours des deux dernières années réunies...

Ce n'était pas un spectacle pour les cœurs fragiles. Coach Boilard a du mérite : c'est lui qui devait recoller les pots cassés et sauver les meubles lorsque ça tournait mal et, surtout, c'est lui qui ravivait le moral des troupes. « Y en aura pas d'facile ! » est devenue sa phrase fétiche...

Consensus général : l'hypothèse du manque d'humour de la femme québécoise, une fois testée, gagne en crédibilité.

Johnny, toujours aussi mordant, a eu le mot de la fin : « Si le poids de la responsabilité du divertissement passait soudainement du coq à la poulette, la Québécoise perdrait son petit air condescendant pendant qu'on cognerait des clous devant elle... »

Anecdote : L'endroit le plus marrant pour draguer — et le moins évident — s'est avéré le sex-shop. C'est connu, de plus en plus de femmes le fréquentent. Les mauvaises langues diront qu'avec la petite place qu'elles laissent aux hommes dans leur existence certaines dames ont farouchement besoin d'un substitut. C'est une proféministe déclarée, Germaine Greer, qui aurait dit : « L'homme idéal est une femme avec un concombre. » D'autres diront qu'avec la mollesse de l'Homme Whippet...

Mais nous avons pu constater que, pour les femmes, mettre le pied dans une boutique érotique est une chose. De là à assumer leurs besoins intimes, il y a un monde à traverser ! Oh ! les réactions qu'on a obtenues en approchant les filles à la boutique Séduction !...

Il y en a même une qui est partie en courant, tellement paniquée qu'elle en a oublié le godemiché que sa main agrippait. T'aurais dû voir sa tête, Sam, quand elle s'est fait rattraper dans la rue par une vendeuse de la boutique. Elle est restée paralysée sur le trottoir, à regarder au moins six fois à tour de rôle la vendeuse et l'immense pénis en latex oscillant dans sa main droite avant de laisser choir la chose sur le ciment. Les passants se pliaient en quatre. Avec un sourire coquin, la vendeuse lui a demandé si elle désirait l'échanger pour un plus gros modèle. La pauvre dame a viré au pourpre avant de tourner brusquement les talons aiguilles et de se perdre dans la foule hilare à petits pas rapides. Je ne crois pas qu'elle visite un autre sex-shop du reste de sa vie!

Douce vengeance...

Palmarès des meilleurs lieux publics pour la drague:

1) Boutique de chaussures: les filles auront toujours besoin de l'opinion d'un tiers...

2) Le lavoir: beaucoup de temps à tuer...

3) Tous les autres lieux sont à proscrire pour qui tient à sa dignité.

Palmarès des dragueurs				
	Moi	Jean	François	Mike
Baises	2	1	0	5
Téléphones	4	5	1	11
Vestes	Incalculables			
Taloches, injures et autres sévices	8	8	22	3

VIVE LA BIÉLORUSSIE! VIVE LA GUINÉE! VIVE L'ITALIE!

Oui, oui, t'as bien lu le tableau de chasse, Sam, je me suis farci mes premières conquêtes depuis Catherine!

Premier succès: Olga. Ça s'est passé lors de l'atroce expérience de drague à froid au supermarché. Alors que je suis à payer des pastilles à la caisse, à côté de moi se pointe une longiligne blonde au visage de mannequin, le teint de porcelaine rehaussant le rouge sanguin de ses lèvres charnues et le vert taïga de ses yeux légèrement bridés. Je fonce: «Ah! mais vous devez être d'origine russe avec une beauté pareille!» Magnifique sourire en réponse. Eh bien, imagine-toi donc qu'elle venait de la Biélorussie. C'était suffisamment dans le mille pour me donner des ailes. Son allure était très sexy (veste de cuir noir, petit chandail moulant rose coupé au-dessus du nombril et pantalon beige à taille très basse) et sa façon d'humecter ses lèvres, provocante. Pourquoi ne pas provoquer à mon tour: je lui ai chuchoté au creux de l'oreille que je la trouvais très *sexualna* (sexuelle). Elle m'a remercié! Quinze minutes plus tard, nous étions à roucouler dans sa chambre d'hôtel.

Deuxième succès: Daphnée, une Guinéenne rencontrée lors de notre escapade dans les boutiques de chaussures. On échange quelques blagues, elle se fait rassurer sur son choix d'une chaussure chic, nous allons prendre un café et elle me laisse son numéro. Deux jours plus tard, elle m'accueille chez elle, séance chaude et langoureuse au rythme des tambours d'Afrique — pas plus compliqué... Nous demeurons en contact occasionnel depuis ce temps.

Puis il y en a eu une troisième: Luisa, la sublime cousine de Mike, qui est venue célébrer son anniversaire lors d'une soirée bien arrosée dans une boîte de Saint-Sauveur. Sophia Loren en personne, version 30 ans! Quelle femme! Sensuelle de la pointe des orteils peints rouge passion jusqu'à la racine de ses cheveux aussi noirs que la nuit de nos premiers ébats.

La sensualité est le plus solide dénominateur commun de ces trois femmes. Sensuelles, à l'aise dans leur corps, ludiques à la drague, initiatrices du toucher et... étrangères. Y a-t-il un lien? Mon échantillon est dérisoire, mais c'est une piste.

N'en fallait pas plus pour mériter un sujet d'article pour *Ève*... J'ai contacté des filles et des gars de toutes nationalités:

syrienne, égyptienne, marocaine et libanaise, espagnole, sud-américaine et italienne, africaine et haïtienne, slave et française. Constat dévastateur : les Québécois sont des piquets de glace.

Toutes les filles d'ailleurs se plaignaient que les Québécois ne draguent pas. Quatre d'entre elles envisageaient même très sérieusement de retourner d'où elles étaient venues. « Sinon, je vais me dessécher comme une veuve de 70 ans », déclarait même une jolie Égyptienne très racée, qui travaille pourtant dans le domaine des relations publiques. Une Marocaine, occupant elle aussi un poste très influent en communications, disait qu'elle se payait des voyages dans son pays d'origine plusieurs fois par année et qu'elle en revenait toujours revalorisée « parce que là-bas, on sait comment reconnaître la beauté d'une femme ». Une Européenne souhaitait d'ailleurs à toutes les Québécoises un séjour d'une semaine en Italie pour qu'on puisse célébrer leur féminité. Une amie québécoise me confiait, à ce propos : « Pourquoi crois-tu que je vais me taper des petits Cubains chaque hiver ? Au moins, eux ils savent y faire ! » La Marocaine concluait sur le manque de couilles des Québécois : « Ici, c'est pathétique ! Je sais comment reconnaître un Québécois dans un café : c'est celui qui ne peut affronter mon regard ! »

Les filles du Québec passent aussi au tordeur. « C'est en Guinée qu'elles devraient se taper un stage de trois mois, ces foutues princesses, m'a balancé Daphnée. Elles cesseraient de gerber contre la qualité des hommes québécois pour un oui ou pour un non. Elles n'acceptent de se faire approcher que si le gars est top modèle ou plein aux as. » Selon Rafaële Germain, plusieurs gars d'Amérique du Sud, d'Afrique et des pays européens disent souvent que les filles du Québec « les envoient chier. On dirait que la séduction est considérée comme quelque chose de superflu ou de dégradant. C'est pas une capitulation de se faire séduire. On confond drague et manque de respect. »

Alors que je leur déballais mes trouvailles après une session de *jam*, François affichait une moue sceptique. Malgré les ecchymoses, il idéalise toujours la femme québécoise :

« Mais ta Catherine… la patineuse… elle aurait pu passer pour une Suédoise aux Olympiques de l'amour, à t'entendre parler, et pourtant c'est une Québécoise…

— Elle venait du Lac. Ça compte pas! » que nous lui avons tous répondu en chœur.

Mais il tenait un point. Les femmes d'ici sont sexuellement très affichées — ne serait-ce que sur le plan vestimentaire — et parlent de cul entre elles comme nous parlons de la dernière dégelée du Canadien. Mais elles ne semblent pas *aimer* ça — ici on généralise, évidemment. Le fait peut à première vue paraître amusant, mais des sondages ont révélé que la femme urbaine (car le phénomène s'étend aux autres grandes agglomérations d'Amérique du Nord et du Royaume-Uni) préfère le chocolat au sexe! Les proportions varient de 41 à 66 %[9] (selon moi, 10 % serait déjà trop et 25 %, alarmant).

Alors je me suis tourné vers une spécialiste, la sexologue Jocelyne Robert[10]. « Nous avons des femmes qui se donnent en spectacle. Et ça commence de plus en plus jeune. Je regardais récemment un catalogue de vêtements pour enfants et je croyais que c'était un magazine soft pour pédophiles. » Elles se déguisent ainsi pour suivre une mode, non pas parce qu'elles sont sexuelles… et encore moins sensuelles. Richard Martineau, père d'une fillette de 10 ans, s'indigne aussi de la sexualisation précoce de la jeunesse par l'artifice de la mode. Et comme il le dit si bien, quand elles grandissent et deviennent femmes, « tout est dans la vitrine mais y a rien dans le magasin ». Sophie d'Oriona[11], Française d'origine installée au Québec depuis

---

9. Entre autres sources: un sondage de 1995 (Debra Waterhouse) a révélé que 57 % des femmes des États-Unis préféraient le chocolat au sexe. Un sondage MORI de 1998 établissait ce taux à 50 % au Royaume-Uni et un autre commandité par Superdrug en 2002 donnait 66 %. Des étudiants de l'Université de Sherbrooke rapportaient un taux de 74 % au Québec, mais aucune source sérieuse ne venait appuyer cette statistique. En 2005, un sondage Léger & Léger sur la sexualité des femmes d'ici, publié par le *Journal de Montréal* les 12 et 13 février, donnait seulement 41 % des Québécoises préférant le chocolat au sexe ou encore n'affichant aucune préférence (information donnée sur le site du sondeur). Mais dans son analyse des résultats, la sexologue Julie Pelletier émettait de sérieux doutes sur la validité des résultats, croyant que les Québécoises auraient peut-être tendance à « embellir leur réalité lors des sondages ». Chez nos voisins du Sud, la compagnie Cocoa Pete arrivait au chiffre de 52 % en Californie, y compris 13 % d'indécises.

10. Propos diffusés lors de l'émission *Tout le monde en parle* en mars 2005.

11. Auteure de *Nous sommes toutes des déesses.*

16 ans, précise qu'elle observe « une femme québécoise sexuellement crue mais très peu sensuelle. C'est une guerrière dans la chambre à coucher. Elle peine à intégrer une féminité séduisante parce que ça équivaut pour elle à de la soumission. »

Mme Robert en rajoute : « Souvent, les adolescentes ont fait des fellations avant même d'avoir embrassé un gars pour la première fois ! » D'ailleurs, selon elle, le baiser est en voie de disparition ! Il est le rapide prétexte pour passer à autre chose. On ne sait plus s'amuser et s'érotiser. « Il faut restaurer l'aptitude au plaisir : le sexe est devenu un job ! », continue la sexologue. Elle s'en scandalise avec raison, car l'impact est majeur. On en parle peu, mais 43 % des femmes souffriraient de dysfonctions sexuelles[12].

Sam, ç'a été un choc de découvrir ainsi toute la disparité entre la sensualité des cultures étrangères et la nôtre. Mais avant ta mère, je n'avais connu que des Québécoises. Et force m'est d'admettre qu'aucune n'a même approché le degré de sensualité des trois étrangères avec lesquelles j'ai baisées — et je te dirais même fait l'amour, malgré le peu que nous connaissions l'un de l'autre. Sauf une, en fait : ma première blonde, Audrey. Mais encore, nous étions devenus sensuels par nécessité. C'est que la jolie Audrey, une Lolita à lulus de 16 ans fraîchement sortie du collège pour filles Regina Asumpta, croyait dur comme fer en l'abstinence avant le mariage. Alors nous avons *tout* fait, sauf percer l'hymen. Et nous avons cavalé pas moins de cinq ans ensemble. J'ai donc passé un doctorat en *necking* les six premiers mois, et ensuite *Cunnilinctus* 169, 269 et 369 (c'est pourquoi Naziane pouvait m'endurer au lit), puis j'ai bénéficié des trois niveaux de Pipes pour les Non-Initiées (diplômée avec distinction : elle était très forte à l'oral et les filles étudient avec tellement de zèle), pour finalement plonger dans le douloureux mais combien profond cours sur la Grèce antique. Puis, question d'éviter la routine, nous avons épuisé les manuels de massage de la librairie du coin

12. Étude financée par l'industrie pharmaceutique, dans laquelle des professionnels de la médecine sexuelle ont dressé la liste officielle des symptômes du dysfonctionnement sexuel. Selon les estimations du corps médical et pharmaceutique, au moins 43 % des femmes de tous âges souffrent de dysfonctionnement sexuel sous une forme ou une autre (contre 31 % des hommes).

pour, en finale de maîtrise lors de la cinquième année, frôler du bout des doigts Tantrisme 101 — cette chose qui, au Québec, a longtemps été synonyme de masturbation et de Richard Glenn... c'est tout dire.

Bref, les préliminaires, c'est pour moi un style de vie.

Bon, Sam, on se comprend : je ne te dis pas de *respecter* ta première flamme pendant cinq ans, mais un stage intensif d'un an sera tout indiqué. Je le conseille à tous les ados pressés de sauter leur petite amie sur une banquette et je le souhaite à toutes les filles qui auront le plaisir de défaire leur braguette.

ÉTAPE 3 : LE LIVRE DE LA DRAGUE...

Puisqu'on en est au sujet de la braguette ouverte, voici le court récit d'une aventure où il n'était pas question de la remonter...

« Cherche la femme où elle se trouve », m'avait ordonné la rédac en chef. Comme les trois quarts des aventures sexuelles et amoureuses débutent dans un contexte de travail, il ne fallait pas lever le nez sur ce fait de la vie. Tout de suite après celle du *party* de bureau, la réputation de décadence du congrès n'est plus à faire. Et comme nous n'avions pas encore fait l'expérience des bars avec Marc Boilard, nous avons dirigé notre laboratoire de la drague vers le *lounge* d'un hôtel de Dorval où logeaient les congressistes de l'Association québécoise des bibliothécaires. Il nous fallait un événement qui réunissait une majorité féminine. Nous le tenions.

Marc Boilard nous donne ses derniers conseils d'usage devant l'entrée du Sheraton, faisant les cent pas devant nous comme un général préparant ses troupes :

« Voici les règles à suivre :

- marchez vers elle d'un pas confiant, lancez-lui un compliment puis glissez une petite remarque sur un détail qui l'agacera, genre qu'elle serait encore plus *cute* en rousse, notez ce qu'elle boit et retraitez ;

- vous riez avec les *boys*, vous êtes le *king* de la place... Commandez-lui un verre et assurez-vous que le serveur lui fasse remarquer que ça vient de vous;

- on rapplique vers la "top poule", trinquez en l'honneur de la plus belle fille du bar, rassurez-la sur son apparence. Puis, on badine: ne *jamais* rien dire de sérieux...

- et le kino commence: rapprochez-vous en prétextant que la musique est trop forte pour bien l'entendre parler, collez votre oreille à sa bouche et profitez-en pour lui toucher le bras, puis, dès que vous le sentez, vous enchaînez (embrassez)... et c'est dans le sac;

- surtout ne *jamais* inverser l'ordre des manœuvres!

C'est clair pour tout le monde?»

Oui, mon général.

Le congrès des bibliothécaires, ça nous a mis en contact avec la femme la plus facile du Québec: la femme mariée! Ouf! si vous saviez le nombre d'épouses qui dissimulaient leur bague à diamant dans leur sac à main. Quelle orgie! Je comprends pourquoi Richard Martineau m'a confié que son type préféré est la «femme sans artifice en tailleur gris». Tant de refoulement le jour, c'est le volcan la nuit! Ces bibliothécaires, quand elles n'ont rien à faire et que vous les voyez en train de lire derrière leur secrétaire, dites-vous qu'elles ont le nez plongé dans la prose d'Anaïs Nin enveloppée d'une fausse jaquette de Lise Payette!

Palmarès des dragueurs

	Moi	Jean	François	Mike
Baises	3	4	2	8
Téléphones	Aucun, question de principe			
Vestes	1	1	3	0
Taloches et injures	Aucune			

Mardi 31 décembre 2002 :

Une déesse virtuelle de l'amour est apparue dans ma vie

« Pour aimer, il faut du courage lorsqu'on a de l'argent, et un romantisme délirant lorsqu'on est pauvre. »

Christine Arnothy

Sam,

Je parle tellement de cul que tu finiras par croire que je suis obsédé. Ne me juge pas trop vite. Quand tu te remettras de ta première relation désastreuse (ce n'est pas que je t'en souhaite une…) tu comprendras qu'il y a des étapes inévitables à franchir au cours du deuil. Le trip de cul en est une, et non la moindre.

Les aventures permettent l'adaptation à petites doses au corps et à la présence d'autres femmes. Après un échec amoureux casse-gueule, les premières étreintes des filles font quelquefois l'effet de corps étrangers délicieux mais voués au rejet. Puis, avec la répétition des plaisirs frivoles, ton organisme commence à comprendre — et surtout à accepter — que l'amour, *un* amour, pourra éventuellement trouver sa niche propre en ton cœur brisé… et y grandir lentement mais sûrement… ou même encore vite et violemment : tout dépendra de la muse et du succès de ta guérison.

Et un jour, hop ! L'organisme est prêt à reconnaître une alchimie nouvelle et n'attendra que celle qui détiendra la clé spécifiquement conçue pour t'ouvrir à l'amour. À partir de ce moment, tu seras plus en mesure d'accueillir la bouche inquisitrice de celle qui tentera sa chance ainsi que ses mots doux qui envahiront ton esprit. C'est alors que le trop-plein d'amour causera non plus un reflux de cette eau-de-vie enivrante reçue de ta neuve dulcinée, mais plutôt, en retour, le don précieux du vin sacré de ton cœur. On ne peut presser quelqu'un de se rendre à cette étape, ni l'anticiper pour soi-même. Ça arrive et c'est tout. C'est physiologique. Cela permet de ne plus comparer l'empreinte de l'autre à celle de l'« avant ». Et selon moi, c'est ce qui explique en partie le phénomène des relations tampon entre deux unions significatives. Souvent, on ne s'accorde pas un temps de convalescence suffisant. On court plutôt se regreffer un cœur qui n'est pas le sien, et on plonge tête première dans une autre histoire qui n'aura que le souffle court d'une nouvelle littéraire.

Mais voilà que les plaies tout au fond de moi guérissent. C'est un truc inattendu qui me l'a fait réaliser il y a quelques jours...

C'est arrivé par le beau matin ensoleillé du 27 décembre. J'ai bondi hors du lit, animé d'un enthousiasme qu'aucune raison particulière ne justifiait. Il y avait simplement cette intuitive certitude que quelque chose de très bien allait m'arriver. Mais je ne liais encore rien de tout cela à l'amour. Je me suis versé un jus d'orange. Explosion des papilles qui m'a transporté en Floride. J'ai pourtant salué du regard l'hiver par ma fenêtre, un sourire niais aux lèvres. Moins 24 degrés dehors, mais l'été en moi. Une douce chaleur à l'estomac et un soleil au cœur. La routine d'exercice physique s'est avérée sans efforts. Puis je me sentais d'attaque pour démarrer tôt une journée d'écriture; l'humeur d'amorcer ce premier roman que tous mijotent sans en avoir jamais écrit une seule ligne. J'ai démarré l'ordinateur. Un courriel m'y attendait...

```
Bonjour,
Te sens-tu prêt pour l'Amour de ta vie?
```

Ça m'a saisi le temps d'une microseconde. Puis j'ai songé à un pourriel d'une agence de rencontre virtuelle, mais il n'y avait ni marque de commerce ni lien menant à une adresse Web. Aucune signature. Un seul indice: l'émetteur du courriel utilisait l'adresse aimance888@hotmail.com. C'était mince. Tout un chacun pouvait se créer une telle adresse dans la minute. Alors j'ai cru à une blague. Un copain ou un inconnu s'était levé ce matin-là avec l'irrésistible envie de me monter un bateau...

J'ai fermé la fenêtre, mais je n'ai pas effacé le message.

Le soir venu, je me suis endormi comme un bébé. Avec le même sourire qu'au lever. Puis j'ai rêvé. La scène onirique se déroulait dans une agence de rencontre située à l'intérieur de ce qui semblait être la salle de documentation d'une bibliothèque. J'y faisais défiler sans intérêt les fiches descriptives de conquêtes potentielles. Puis est apparue une superbe femme à l'étincelante chevelure rousse tel un soleil rayonnant de tous ses feux. C'était une beauté pétillante au regard angélique, trahi par la pulpeuse sensualité de ses lèvres pécheresses. La fraîcheur d'une rose avec la promesse des épines. La volupté en robette romantique. La pureté incarnée en *pin-up* à la Jessica Rabbit. Un miracle à déifier. Elle aussi cherchait en vain une fiche compatible. Je soliloquais en faisant ses louanges lorsqu'elle m'a lancé une boutade. Nos rires ont fusé. Je ne me rappelle plus un traître mot de l'échange qui a suivi, mais je me suis rapproché car le courant passait comme une charge de 100 000 volts sur une ligne à haute tension. La chimie… envoûtante. Je me commets: « Est-ce que je pourrais te proposer une sortie, un café, un dîner ou un film ? Est-ce que tu aimes le cinéma ? » Elle m'a permis de plonger dans ses profonds yeux d'émeraude. Ma vie ne tenait qu'à un battement de ses longs cils. Puis, en réponse, elle a rougi et simplement souri — quel charmant sourire.

Fin du clip: réveil amoureux.

Oui, amoureux. Le cœur plus lumineux que jamais. C'est stupide. Le même sentiment qui vous donne l'appétit d'un ascète, les « papillons de velours » dans l'estomac et les fantasmes à l'eau de rose. Mais amoureux de *personne*. Après tout, on ne peut tomber pour une inconnue créée en *rêve* !

Encore dans les brumes, je me rends d'instinct à l'ordinateur. Nouveau message:

> Seconde chance:
> Te sens-tu prêt pour le Grand Amour? Ou encore me suis-je trompé d'adresse? L'Amour ne cognera pas à ta porte une troisième fois. Trop de gens l'attendent pour en faire grâce à celui qui ne le désire pas ou qui est trop aveugle pour le voir passer…

Un blagueur persistant. J'ai répondu:

> Frank, Mike, Johnny… ou quel que soit le petit malin:
> Mon Amour n'est pas Grand mais durable
> Nuit et jour, il va et il vient

Ton Amour, est-il impénétrable? Où te foutrais-tu alors le mien?…

Une demi-heure plus tard…

Stéphane,
Si ton talent littéraire se résume à ta poésie et ton cerveau à sa mesure: ta plume n'a pas plus d'avenir que ton cœur.
Adieu.

Je suis intrigué:

Tu connais mon prénom… Tu sais que j'écris… Alors tu me connais vraiment?

Réplique immédiate:

Je sais qui tu es. Et je sais ce que tu désires. Mieux encore, je peux te la servir sur un plateau d'argent…

Encore plus intrigué:

Me LA servir? Mais qui es-tu donc pour prétendre aux secrets de mon âme?

Là on atteint de nouveaux sommets:

Je suis Aimance 888, la Déesse de l'Amour.

Rien de moins…

Quoi, tu vas me faire accroire que tu bouffes du Philadelphia sur un nuage à deux battements d'ailes de l'Olympe? Il y a d'excellents traitements pour ta condition; t'es au courant? Sinon, j'ai des contacts, tu sais…

La déesse m'a boudé par la suite. Au terme d'une demi-journée à ne penser qu'à elle, je me suis trouvé bête à hennir: je n'arrête pas de me plaindre de la froideur des filles et moi, connard devant l'Éternel, je ne suis pas foutu de bien accueillir une fille qui me drague dans le Net — et avec originalité en prime.

Je rapplique:

```
Aimance 888,
Suis désolé.
T'as raison: ma cervelle = pied.
Alors: oui, je suis prêt pour le Grand
Amour. J'en rêve, même. Juré.
Que dois-je faire maintenant?…
Stéphane
```

J'attends toujours son pardon.

Le rêve de l'affriolante rouquine, la Déesse de l'Amour qui se pointe en code binaire... Tout ça m'a rebranché le cœur en mode « espoir ». Je n'y peux rien. Je me portais pourtant très bien jusqu'à tout récemment: j'imaginais même que je pourrais ainsi m'autosuffire pour quelques années à mener une vie active de célibataire — chose que je n'avais jamais connue auparavant.

***

Tout n'est cependant pas qu'infusion d'amour dans un coulis d'eau fraîche. La veille du premier message d'Aimance 888, le 26 décembre, lorsque ton grand-père est allé te reconduire chez ta mère (je n'ai toujours pas le droit d'être seul en ta présence), il s'est vu remettre un colis à mon attention. Le « Boxing Day » y a trouvé un sens littéral: un coup de poing. C'était une copie de l'évaluation parentale signée de la main de la psychiatre Yvette Lépine. Y gisaient mon profil psychologique ainsi que celui de Naziane. Une brique aussi volumineuse que *Guerre et paix* — qui mériterait d'ailleurs une suite, version conjugale, que j'intitulerais *Guerre, épais!* Ce que j'ai reçu comme récit d'horreur mériterait le second tome à lui seul. J'y tiens le premier rôle, celui d'un adolescent psychopathe en permission qu'on gardera à vue. Mais, pour être honnête, celui de mon ex-conjointe n'est guère plus reluisant. Sa cervelle serait l'équivalent d'une fiole de nitroglycérine susceptible d'exploser à la moindre secousse, provoquée par un tempérament incapable d'assumer ses choix et sa marginalité. Je comprends maintenant pourquoi on m'accorde des droits sans trop broncher! Même que le rapport était assorti d'une nouvelle proposition légale qui allait me permettre une garde sans supervision dès ton premier anniversaire, le 15 février.

Cette parcelle d'espoir a préservé ma joie naturelle des derniers jours. Je suis donc d'humeur à respecter une tradition à laquelle je suis fidèle depuis que je suis haut comme trois pommes : voici donc mes résolutions pour l'année 2003 :

1) négocier une entente décente pour ta garde, Sam ;

2) ne plus t'emmerder dans ce journal avec mes trucs de divorce ;

3) continuer à vivre de ma plume ; faire un tabac avec mes articles dans *Ève* ;

4) jouer dans les bars avec notre *band* l'été prochain ;

5) réduire mon poids à 185 livres et l'y maintenir ;

6) trouver l'Amour de ma vie…

VENDREDI 14 FÉVRIER 2003 :

Tire-moi dessus, Cupidon !

Cela dure depuis plus de six semaines. J'ai le cœur aux aguets. C'est comme si je m'attendais à ce que la fille de mes rêves descende du ciel d'un moment à l'autre… débarque d'un taxi devant le resto au dîner, se pointe en sens inverse dans l'allée du supermarché, surgisse dans les bureaux de *Branché*, me tape un clin d'œil au bar le soir.

Ou encore me destine un courriel.

Et c'est ce qu'a fait la Déesse de l'Amour. Aujourd'hui, elle m'a écrit pour la première fois depuis le 28 décembre.

Je ne l'avais pas oubliée. Ni n'avais mis la réalité de son existence au rancart des canulars. Elle faisait partie des apparitions anticipées. J'ouvrais encore quotidiennement ma boîte de réception de courriels dans l'espoir d'y trouver un message en provenance de l'Olympe.

Mais j'y reviendrai.

D'abord, les grands titres :

- Joyeux 1er anniversaire, Sam !
- Quatre trucs pour draguer solidairement (1re partie)
- Le courriel de la Déesse…

JOYEUX 1ER ANNIVERSAIRE, SAM !

C'est demain et, pour la première fois (légitimement), ce ne sera que toi et moi… Je t'ai préparé un mini choco-gâteau. Promets-moi de t'en mettre partout !

QUATRE TRUCS POUR DRAGUER SOLIDAIREMENT

(1RE PARTIE)

Petite citation pour toi, mon Sam :

> *« Ah ! si les hommes voulaient s'aider !*
> *Ah ! si les femmes voulaient céder ! »*
>
> SAN-ANTONIAISERIES

Rien pour altérer ma disposition aux espoirs romantiques, autour de moi, Cupidon faisait des ravages. Les Beatles de la Drague ont d'ailleurs perdu deux musiciens victimes de ses flèches : Johnny et François. Ces derniers doivent une fière chandelle à Marc Boilard. Vers la fin de notre drague-o-thon de novembre, le coach nous avait conseillé quelques trucs « pour draguer solidairement ». Il s'agissait de combines collectives. De la haute stratégie. Du travail d'équipe pour faire la passe, quoi.

Première victime de l'archer de l'amour : Johnny. Le p'tit cul terreux, pour emprunter à l'imagerie de Réjean Ducharme, n'ouvrait pas souvent la bouche mais quand il avait un but en tête, un train n'aurait pu l'arrêter. Un soir que nous investissions la piste de danse, Johnny — dont le style chorégraphique se limitait à claquer des doigts au rythme de la musique et à jouer du périscope jusqu'à ce qu'une cible soit bien en vue — semblait totalement impassible jusqu'à ce que ses yeux s'écarquillent grands comme des trente sous. Il a crié « Stef, Frankie... formation chasse-neige à 10 h ! », et nous l'avons suivi en retrait jusqu'à un trio de filles formé d'une blonde et d'un duo Laurelle-et-Hardy. J'ai pris Hardy (l'habitude) et François s'est occupé de la grande échalote, pendant que Johnny finissait la soirée avec sa cible, Rebecca, de Bois-des-Filion.

Je révise mes notes de ce journal, deux ans après les événements, et je peux te dire que je ne l'ai revu qu'à une seule reprise après cette soirée. Il demeure à Bois-des-Filion et y a ouvert son propre garage. Je me rappelle encore l'éclat de ses yeux lorsqu'il a quitté les Vieilles Portes avec cette fille à son bras sur le coup de minuit. Il va demeurer longtemps à Bois-des-Filion.

Deuxième victime de Cupidon : François. Pour reprendre l'expression de Marc, c'est Mike qui lui a « amené à manger ». Brad Pitt a totalement subjugué une jeune punk-gothique-post-grunge plutôt sexy du nombril et un peu bourrée de la gueule, puis a vanté les mérites de François avant de la mener directement dans ses bras. J'ai vu l'expression de Frank lorsqu'ils ont fermé la boîte à 3 h du mat. Et celle de sa « douce » aussi. Il y a des couples qui incarnent le désastre au premier instant.

Je souhaiterais ne jamais avoir ainsi participé à l'horreur qui allait suivre... (Ici se termine l'incursion du réviseur du futur. Contrairement à la croyance populaire, le temps ne procure pas de gomme à effacer.)

Mike ? Mike était... Mike. Notre Brad Pitt national s'envoyait tout ce qui bougeait. Avant que nos deux amis ne trouvent leur perle, Mike avait plutôt tendance à jouer solo ou à utiliser les trucs de drague en groupe afin de mieux assouvir son insatiable appétit de séduction. Je m'en suis un peu lassé. Surtout lorsque je me suis retrouvé à copiloter ses egosoirées aux quatre coins de Saint-Sauveur.

Il pestait contre les copains qui « nous ont laissé tomber pour des *bitches*. Frank s'est trouvé une salope à sauver. On va le ramasser à la cuiller t'à l'heure. Pis Johnny, c'était pas un vrai *chum*. Depuis qu'yé tombé en amour, on le voit pus ! Yé ben comme les autres ! Elle a mis le grappin dessus, pis a l'laisse pus sortir du cachot ! »

Je ne lui ai pas parlé de l'éclat des yeux de Johnny. Il n'aurait pu comprendre. Les siens sont bleu acier. Des faux, payés à crédit chez New Look. Froids comme ceux des tueurs.

J'avais peine à supporter sa misogynie. Sa manière *dandy* d'appeler les femmes « princesse » et « bella » en leur présence mais de les traiter de « plottes » et de « putes » dès que leur joli dos était tourné... ou pire, dès le lendemain matin. Mike est le genre de mec à ne jamais essuyer une gifle qu'au soleil levant...

Mais je ne lui fais pas exclusivement porter le chapeau de ma lassitude. J'ai compris qu'il me faudrait bientôt passer à autre chose lorsqu'à mon tour j'ai bénéficié des fruits du travail d'équipe. Nous avions prétexté la prise d'une photo de notre *blues band* pour inviter quatre pétards à venir prendre la pose pendues à notre cou alors qu'une serveuse du Boomers croquait la scène. Une mignonne Jamaïcaine m'est tombée dans les bras (je ne le fais pas exprès ; je dois posséder un aimant Kofi Annan au milieu du plexus solaire), colleuse et collante mais aussi charmeuse et charmante. (Si ça t'intéresse, sache que les trois autres filles étaient québécoises de souche, s'emmerdaient royalement pendant la courte scéance de photos et se sont transformées en courant d'air dès que l'appareil a fait clic !) Toujours est-il que la fée des Caraïbes m'a invité à la salsa, nous avons flirté, et, comme je l'embrassais devant chez elle aux petites heures, mes lèvres ont dit « stop ». Plutôt un courtois « *sweet dreams...* » pendant qu'intérieurement je me surprenais à souhaiter que la prochaine fille à qui je ferais l'amour serait l'élue de mon cœur. Mon cœur n'accueillerait-il désormais que la femme de ma vie ? Sais pas. Mais j'en venais à me convaincre que je ne rencontrerais pas la mienne dans une boîte de nuit...

Palmarès 2003 des dragueurs				
	Jean	François	Mike	Moi
Relations commencées	1	1	0	0
Carnet de téléphone	Brûlé	Brûlé	Plein	À vider

LE COURRIEL DE LA DÉESSE…

Stéphane,
Olympe appelle Planète Bleue.
Ai eu le temps de m'empiffrer de suffisamment de Philadelphia pour te pardonner. Dois arrêter sinon vais crever nuage et te tomber sur la tête.
Terminé.
Aimance 888
Déesse de l'Amour
1 888 888-8888

J'ai composé le numéro. Non, ils ne demandent pas 10 $ la minute au pays de Vénus. Mais leur ligne est en dérangement. Zeus a dû ignorer un avis rouge.

LUNDI 7 AVRIL 2003 :

La quête du Saint-Graal

Joyeux anniversaire, moi. Trente-six chandelles. C'est anti-zen lorsque sa fête tombe un lundi. On a beau tenter de se convaincre de prolonger le week-end, le devoir appelle. En fait, *Le Devoir* a appelé. Un truc pressé. Donc, je bosse.

Pour compenser, je demande le Saint-Graal par courriel en cadeau. Ça fait presque deux mois que je corresponds avec la Déesse de l'Amour chaque jour de semaine, sauf le vendredi en règle générale (oui: même là-haut, ils accordent apparemment la semaine de quatre jours). Alors je peux bien lui demander un petit quelque chose... Ce ne sera malheureusement pas de me permettre de la voir. J'ai déjà essuyé pas mal de refus. Je n'irai pas m'en coller un de plus en ce jour de réjouissances...

Planète Bleue appelle Olympe.
Chère Aimance 888,
J'en appelle aux pouvoirs grandioses dont on t'a investie. Pourrais-je solliciter ta générosité pour mes 36 printemps?
Désire Saint-Graal. Livraison gratuite en moins de 10 jours appréciée. Votre politique amour garanti ou argent remis est-elle toujours en vigueur?
Terminé.
Stéphane

Réponse rapide:

Merveilleux anniversaire, Stéphane!
Accuse réception de commande. Ne peut garantir délai mais amour, si.
Je connais celle qui te fera chavirer. Elle est presque prête pour toi...
Patience.
Terminé.
Aimance 888

Patience, patience... Depuis l'hiver qu'elle me tient en haleine et me refile les indices au compte-gouttes. Mais j'avoue que cette torture chinoise n'est pas désagréable. Parfois, je me dis qu'elle a un peu remplacé mon ex-femme. Enfin... ta mère. Et son papotage du quotidien, le «comment a été ta journée» assorti de discussions philo sur l'art de refaire (ou de réécrire) le monde. La présence féminine, quoi. J'ai beau m'être fait baiser par Naziane, je refuse de croire — même si parfois ça fait mon affaire — que je n'ai été qu'un géniteur. Lors des deux premières années de notre union, entre les métamorphoses de ses cycles «monstruels» — tout bien compté, ça fait au moins 21 jours par mois —, nous faisions de piètres amants mais d'excellents amis...

Le pardon est une étape du deuil. Je n'en suis pas encore là… mais il y a des jours où j'y parviens presque.

Bon… assez *nostalgié*! Passons aux grands titres des deux derniers mois, mon gars:

- La Québécoise en quête d'un harem
- Quand l'homme rencontre son iceberg
- La poupée qui fait oui, non, oui, non: le cauchemar des premières rencontres
- Quatre trucs pour draguer solidairement (2e partie)

LA QUÉBÉCOISE EN QUÊTE D'UN HAREM

Selon une enquête Sondagem-*Le Devoir* menée en 1999 sur les priorités et les aspirations des Québécois, 43 % des gens ont placé « la réussite de la vie sentimentale » au premier rang de leurs préoccupations, loin devant la recherche de « temps pour soi », « l'emploi » et surtout, très très loin devant « l'argent ». Un autre sondage, adressé cette fois aux 18-24 ans, a révélé que près des deux tiers des jeunes souhaitaient passer toute leur vie avec le même Roméo ou la même Juliette.

Décidément, la comédie romantique a beaucoup d'avenir. Il n'y a pas que moi qui sois à la recherche du Grand Amour.

À partir de la Saint-Valentin, je me suis vraiment mis en quête de ce qui se cachait sous cette identité d'Aimance 888.

Qui?

Quelques petits indices laissés dans un courriel…

```
Où pourras-tu la trouver, ta muse d'éternité?
Regarde autour de toi…
Regarde en toi…
Ne regarde pas derrière toi…
Aimance 888
```

« Regarde autour de toi »: à force de lui tirer les vers du nez, j'ai appris que la perle rare m'étant destinée habite les Laurentides. Autre indice: elle n'y serait pas née (ça me fait une belle jambe: personne n'a vu le jour dans le Nord pour y demeurer à l'âge adulte; c'est un lieu de naufrage pour les âmes en crise comme moi et, pour les aînés, un lieu de retraite qui rivalise avec le condo en Floride).

« Regarde en toi » : un peu trop métaphorique à mon goût.

« Ne regarde pas derrière toi » : pas une ex… *thank God*!

Autre évidence, si le jeu d'Aimance 888 est une forme d'autopromo… c'est que l'Amour de ma vie me connaissait donc déjà en 2002.

N'empêche que ça laissait de la corde aux possibilités…

Depuis que je travaille à temps partiel à l'hebdo culturel de Saint-Sauveur, les entrevues et le réseautage m'ont mis en lien avec beaucoup de femmes. Certaines sont devenues des « candidates », d'autres, des amies… et d'autres encore en sont à la phase « Y », où la relation devra prendre un bord ou l'autre.

Je ne te ferai pas le coup d'énumérer toutes les candidates. Mais je l'ai fait dans un cahier à part. Il y en a pour deux pages de noms assortis d'une évaluation tenant sur une ligne pour chacune. Certaines, je ne les ai qu'entrevues. D'autres, je les croise fréquemment, comme Manon, cette jolie et très gentille fille un peu rondouillette qui vient souvent à la boutique de Mike pour y acheter ses sauces ou un dessert, et nous piquer une jasette lorsque j'y prends un espresso.

Mais mis à part Manon, les Laurentiennes qui pourraient me connaître suffisamment pour camper Aimance 888 sont les trois personnes qui sont devenues mes copines depuis mon arrivée. Il fallait débuter de ce côté, car j'avais déjà éliminé au fil des semaines les autres candidates potentielles: les filles avec qui j'avais flirté au cours de l'automne. Pour la plupart, elles étaient de Montréal et ne se souvenaient plus de moi lorsque je les rappelais.

Alors je te présente mes trois amies. De chouettes filles. Dans la suite de ce journal, pour simplifier, lorsque je parlerai de l'une d'entre elles, je la nommerai Maryse.

Maryse n° 1 : J'ai un faible pour elle. Artiste de 37 ans. Belle comme un cœur. Marionnettiste pour enfants, sans enfant. Désire enfant… Désespère de trouver père pour faire enfant. Compréhensible : imagine créer des univers enfantins chaque jour sans pouvoir en dorloter un… Passé amoureux: totalement dysfonctionnel. Depuis trois ans, un Brad Pitt lui brise le cœur chaque été en se pointant en juin et en levant les pattes en août. Disponibilité sentimentale: complètement bouchée. Particularité: s'apprête à signer un contrat avec son meilleur ami pour qu'il lui fasse un bébé et devienne papa une semaine sur deux. Possibilité qu'elle soit Aimance 888: nulle... elle tape à un doigt au clavier. Ma case potentielle: frère et confident; becs de sœur seulement.

Maryse nº 2: Gestionnaire d'entreprise de 41 ans. Celle-là me compte déjà sur son tableau de chasse. Passé amoureux: récemment échappée d'un long mariage libertin. Disponibilité sentimentale: cul ouvert, cœur fermé. Ma case actuelle et potentielle: *fuck friend* avec conversation. Possibilité qu'elle soit Aimance 888: incompatible avec la Déesse... Le romantisme est derrière elle.

Maryse nº 3: Mi-trentaine. Complicité, rires et cie. Passé amoureux: trois importantes blessures. Trois Brad Pitt, évidemment. Mike est d'ailleurs l'un d'eux. Disponibilité sentimentale: veut beaucoup, mais morte de peur. Ma case potentielle: compagnon pour ski et vélo. Possibilité qu'elle soit Aimance 888: à oublier. Elle tente présentement de nouer une relation pas très prometteuse... pendant qu'elle rêve encore au premier Brad Pitt.

Bref, mes amies sont des cœurs blessés en convalescence prolongée. J'ai bien peur que leur cas ne soit chronique... et très répandu. Aussi magnifiques, désirables, brillantes et sensibles soient-elles, l'amour leur pose un *gros* problème. Elles morcellent leur cœur en petits éclats fragiles (et tranchants) qu'elles distribuent chichement. Comme on partage un gâteau en se gardant la plus grosse part pour soi-même. Leur logique, basée sur la peur (on y revient), n'est pas nouvelle. En fac, le prof de stratégie marketing appelait cela la concentration du portfolio: «En aucun cas ne laissez plus de 50% de votre chiffre d'affaires aux mains d'un ou deux clients, car leur perte signifiera la vôtre.»

Ce qui m'amène au phénomène des cases...

De nos jours, être casé n'a plus la signification d'antan. Si j'écrivais la définition actualisée de l'expression dans le *Petit Robert*, ça donnerait ceci:

CASÉ [kaze]. Adj. m. (1669 ; de case). 3° Fig. Homme placé par une femme dans un rôle social éternel. « *Claude est casé par Mathilde. Il est cet homme qu'elle appelle lorsque son muret extérieur est lézardé. Apparemment qu'il fait un bouche-trou extraordinaire* » (D'Arcy). À ne pas confondre avec l'expression « casé avec », qui implique un engagement conjugal le plus souvent temporaire.

Règle générale : la plus haute case hiérarchique qu'on vous assigne est définitive. Les promotions sont rarissimes et les démotions fréquentes. C'est bien connu, lorsqu'une fille vous fiche dans la case « ami » dans les 30 premières secondes d'une relation, il est par la suite très difficile de passer du salon au lit...

Exception à la règle : les Brad Pitt. Mike recourait à la technique du poisson nageur. Il lançait ses lignes d'amitié dans la vie des filles comme on taquine le poisson, et puis il attendait que ça morde. Vérifiez par vous-même : il y a un Brad Pitt, ou deux ou trois, dans la vie de toutes les filles que vous connaissez — à commencer par votre blonde si vous êtes en couple. Leurs noms sont inscrits dans leur petit calepin de numéros personnels, dissimulés au sein d'une liste de contacts courriel, déformés sur le papier rose de leur journal intime et, plus important, bien souvent gravés en cicatrice sur leur cœur. Ce qui a souvent causé la problématique des « cases » au départ — et peut-être vous a déjà replacé à la problématique case départ avec l'être aimé.

Un exemple parfait : Maryse n° 3. Jolie. Musculaire. Basanée. Respire la santé. Case utilitaire : elle vient de se meubler grâce à Homme A, un ébéniste rémunéré à la pipe. Case loisirs : sports avec Homme B (moi), car Homme C n'est pas plein-air. Case amour : Homme C, un jeune cadre aussi ambitieux que doux et gentil (un Whippet, quelqu'un ?) qu'elle refuse de baiser par pudeur pendant qu'elle s'envoie un ex, Homme D, dans la case « nostalgie » ; le Brad Pitt, Homme E, dans la case « passion occasionnelle » ; la masseuse, Femme F, dans la case « sexe expérimental 1 » ; et pour finir l'Homme G, pour le point du même nom, dans la case « sexe expérimental 2 ». Et il y a les Homme H, I, J et K, des candidats à l'étude qui prennent les cases « café philo » (car Homme C n'est pas particulièrement intello), « ciné dimanche pluvieux » (car Homme C n'est pas très cultivé) et « confidents en attendant (J et K) » (car Homme C n'a pas encore droit aux jardins secrets de madame). Elle s'est ainsi composé un véritable harem. De cette façon, et c'est purement arithmétique, la maxime se vérifie : un de perdu, dix de retrouvés.

Être l'ami d'une fille et savoir écouter, c'est porter une carte d'accès privilégié à un monde fascinant. Si je faisais des « cases » un sujet de documentaire, le témoignage de Maryse n° 3 sur l'Homme C vaudrait de l'or : « J'aime bien Maxime car il est doux (*lire à son service et sécurisant*), intelligent (*lire bonne situation et riche*) et mignon (*lire présentable et corrigible*)... c'est comme un petit jouet avec lequel je m'amuse. Il me fait des compliments, j'trouve ça *cute* et ça me fait du bien. » Plus tard, elle avouera qu'elle pense ne jamais plus être en mesure d'aimer après s'être éclaté le cœur sur le roc des trois Brad Pitt qui lui ont fait la peau.

Question, Sam : Voudrais-tu être Homme C ?

Réponse perso : Jamais dans cent ans. En fait, je n'aimerais être l'Homme C d'aucune de mes amies...

Le problème, c'est qu'elles sont représentatives de l'ensemble. Elles ne sont en fait que la pointe d'un immense iceberg...

QUAND L'HOMME RENCONTRE SON ICEBERG

« Le principal problème des femmes,
c'est d'aimer les hommes.
Si les femmes n'aimaient pas tant les hommes,
elles seraient rendues beaucoup plus loin. »

LISE PAYETTE

Ma théorie des cases a intéressé la rédactrice en chef d'*Ève*. Elle veut que je m'en serve pour brosser un portrait-choc de la femme moderne et de la réalité des hommes qui tentent de la séduire.

Voici le bref compte rendu de mes recherches...

Premier problème rencontré sur le marché du célibat : l'offre et la demande. On parle beaucoup du nombre de plus en plus important de célibataires au Québec, comme ailleurs en Occident. Chez nous, cette proportion atteint 40 % de la population adulte. Mais pour les hommes de ma génération, la rareté de l'offre est désolante. *Primo*, plus on approche la quarantaine, plus le nombre d'hommes célibataires surpasse la population de femmes libres. *Deuzio*, près de la moitié des femmes de ma génération sont seules par choix, leurs priorités allant à la carrière, aux amies et au shopping. Si elles cherchent le grand amour, elles ne le disent pas ouvertement.

Vérification faite, il y a deux fois plus d'hommes (68 %) que de femmes (32 %) parmi les quelque 250 000 membres du Réseau Contact dans la catégorie des 25 à 44 ans.[13] C'est la grande pénurie…

Qui est donc cette femme moderne que je risque alors de rencontrer si je pars à la chasse?

C'est une *fashion victim* narcissique à la trentaine amorcée, un peu *workaholic*, et son amour est voué à la perfection (pour elle-même et quiconque se pointe dans sa vie). Lorsqu'elle baise — parce qu'elle ne fait pas l'amour —, la femme moderne dissimule son cœur et les parties de son corps qu'elle juge imparfaites.

Pour les besoins de mon article, je l'ai baptisée l'« Iceberg Carriériste ».

Il n'y a pas que moi qui la décrive ainsi. J'ai interviewé beaucoup de gens à son sujet et lu des livres à son propos — écrits par des femmes, qui plus est. Des femmes de carrière et d'idées comme Denise Bombardier et Colette Dowling. Et qui peut mieux qu'une femme moderne en décrire une autre? Les mots de Rafaële Germain sont éloquents, en référence à la quête de la perfection de ses semblables: « On veut réussir en amour comme on réussit sa vie professionnelle, ça devient une question de statut. Et d'image. À force de viser la performance, on oublie l'essentiel. Ces femmes devraient commencer une relation avec l'esprit ouvert en se demandant si elles se sentent bien, plutôt que de barrer un gars juste parce qu'il ne mesure pas 6 pi 2 po. »

Justement, les Brad Pitt ont beau jeu. « Devenir amoureuse, oui, mais d'une vedette, est un phénomène épidémique chez les femmes actuelles, déplore Colette Dowling[14]. On va à un rendez-vous en pensant: “ Existe-t-il quelqu'un de mieux

13. En date du 10 mars 2005.

14. Tiré de son livre *Le complexe de la superwoman.*

pour moi?" Cela dénote souvent un souci obsessionnel de l'apparence.»

L'image est reine. Cette femme moderne en est pourtant très malheureuse. Elle déprime après la lecture d'une revue féminine, tout comme 70% de ses semblables[15]. Et le plus souvent, elle rejette le blâme de son ordonnance de Prozac ou de sa dose de cocaïne sur le méchant homme qui définit les canons de la beauté d'aujourd'hui. C'est une forme répandue de misandrie (un mot nouveau dans le lexique). Mais si l'éditrice d'une revue comme *Elle Québec* ose obéir aux désirs déclarés de ses lectrices en exhibant en couverture une fille un peu enrobée — comme ça s'est déjà fait —, elle récolte en remerciement les pires chiffres de vente de l'histoire de sa publication!

Il y a vingt ans, le poids corporel des top modèles était de 8% inférieur à celui de la femme moyenne aux États-Unis. Aujourd'hui, le poids des Elle Macpherson de ce monde est de 23% inférieur à celui de la moyenne nationale américaine! Autant dire qu'elles sont anorexiques. Complexées, les femmes? Une enquête auprès de 33 000 lectrices du magazine *Glamour* a révélé que seules 6% d'entre elles avaient une image positive de leur corps!

Conversation téléphonique sur le sujet avec mon ami Johnny...

«Parfois, j'aimerais qu'il y ait un nouveau mouvement féministe pour allumer un immense feu de joie avec tous ces maudits magazines! lançait-il. Si elles pensent vraiment que c'est ce qui nous fait le plus triper, des corps de camps de réfugiés *boltés* avec deux ballons de silicone... Moi, ça ne me fait pas bander pantoute! J'ai juste le goût de leur donner à manger!

— Et que ça presse! Elles devraient réaliser que leur idéal de perfection est inatteignable, et même pas souhaitable.

— On devrait instaurer une journée internationale du laisser-aller féminin.

— Au moins une fois la semaine, oui!»

Rires, puis silence de quelques secondes...

«Crisse, tu me croiras pas, Stéphane. Une femme est en train de se *shooter* au Botox à la télé comme je te parle.

15. *Journal of Social and Clinical Psychology*, É.-U. (1995).

— Il ne faut pas lui en vouloir. C'est peut-être le seul moyen qu'elle a trouvé pour réapprendre à sourire sans effort! »

Bien sûr, si les femmes modernes exigent la perfection d'elles-mêmes, imagine-toi donc, Sam, ce qu'elles peuvent exiger de nous... « Les hommes, aussi parfaits soient-ils, ne sont jamais à la hauteur de leurs expectatives », écrivait à ce sujet Denise Bombardier. Ça dit tout. Janette Bertrand a déjà déclaré qu'une femme s'attend désormais à ce que son homme lui déchire la robe le soir pour la repriser le lendemain matin. Si ce n'était que cela... Elle avait oublié de mentionner qu'on devait aussi la lui avoir donnée en cadeau la veille et lui en racheter une neuve le lendemain.

Car lorsque les filles se décident enfin à se dénicher un homme, les fauchés comme moi n'ont pas la cote. « Les hommes riches, c'est bien connu, produisent un effet aphrodisiaque sur beaucoup de femmes, qui trouvent apparemment une source d'érotisme dans l'écart entre leur compte en banque et celui de leur "trésor". » Merci, Madame B! Même Brad Pitt n'aura qu'une audition nocturne s'il n'exhibe pas ses cinq cartes Gold. Car il y a trois choses que l'Iceberg Carriériste priorise chez un candidat à la nonoce: la beauté, l'argent et l'humour. Ma version: un beau gars qui les fera rire jusqu'à la banque!

Jusqu'à ce qu'elle trouve cette perle rare, elle comblera ses vides intérieurs (là je parle de cul, et non pas d'états d'âme) avec les pires morons de la Terre. Tu connais sans doute l'expression « imbécile heureux ». Ici, les imbéciles sont aussi joyeux que les veuves. Pour courir la chance d'une baise sans lendemain avec la femme moderne, tu as quatre choix: être un Brad Pitt, te travestir et devenir sa meilleure amie, te réincarner en concombre ou simplement en *être* un. C'est un véritable phénomène de société, on voit la femme moderne au bras de tarés du même acabit. Elle le cachera tant bien que mal dans le placard et il passera dans son ciel avec la vélocité d'une météorite. Mais n'ayez pas pitié de lui. Dès son congédiement, il s'en trouvera une autre pour l'adopter. Pourquoi ces maniaques de la perfection se contentent-elles de si peu? Simplement parce que plus bêtes leurs hommes seront, plus elles sauront qu'elles ne peuvent s'en amouracher.

Puis vient un jour où l'Iceberg Carriériste souffle trop de bougies à son goût. Elle approche alors l'homme convoité avec dans le crâne le tic-tac d'une bombe à retardement : c'est l'horloge biologique. Si elle n'opte pas pour un géniteur jetable, l'heureux élu sera alors un serviteur rose ou encore un carnet de chèques sécurisant — et pourquoi pas les deux ?

Le couple avec Mme Iceberg n'est pas une sinécure pour qui s'y aventure. L'éducation de M. Parfait commence. Le but de l'institutrice, forte d'une collection assommante de livres de croissance personnelle : éradiquer ses moindres défauts et tout contrôler pour éviter les (ses) contrariétés. Il y a la blonde d'un ami qui avait rédigé une liste invraisemblable de cent critères que l'homme de sa vie devait remplir pour satisfaire ses exigences. Eh bien, le gars en question avait beau répondre à 98 % de ses besoins, la fille faisait une fixation sur les 2 % qu'il n'arrivait pas à combler !

Dans de telles conditions, l'homme moyen ne se sentira jamais à la hauteur d'un M. Parfait et abandonnera la partie, totalement démotivé. Et s'il montre ses sentiments éplorés comme elle le demande, il sera accueilli par un bloc de glace désemparé. Richard Martineau m'avouait avoir pleuré devant une de ces femmes et qu'il le regrettait tellement que jamais plus il ne s'y ferait prendre. « J'ai perçu une importante baisse d'estime dans ses yeux, comme une déception. » Un M. Parfait, c'est solide et ça ne bronche pas. C'est Yvon Dallaire qui avance que les femmes « épousent un *potentiel* et non pas un homme humain ayant droit à l'erreur et à la possibilité de ne pas toujours être à la hauteur des aspirations de leur partenaire »[16]. Toute cette dynamique conjugale finira évidemment par éclater. Quelqu'un peut me fournir les dernières statistiques sur le taux de divorce ? Les trois quarts du temps, c'est elle qui jettera l'éponge et quittera le foyer à la suite d'une crise de bovarysme aigu. Diverses études montrent que la cause numéro un est le désappointement… M. Parfait a failli à la tâche.

Pas jojo, le portrait…

Ce qui m'a amené à supplier Aimance 888 de m'éviter la rencontre de tels ersatz d'humains au cœur de glace.

---

16. Tiré de *Homme et fier de l'être.*

```
Aimance 888,
Tu t'imagines si c'est invitant d'amorcer
quelque chose avec une femme pareille…
Existe-t-il une fille normale sur cette
planète? Si oui: trouve-la-moi, presto!
Au secours!
```

Bouteille à la mer…

Message à toutes les Icebergs Carriéristes: faites plaisir aux gars et payez-vous un géniteur consentant. Mais ne frappez pas à ma porte: j'ai déjà donné.

Le téléphone a pourtant sonné. C'était Naziane, ignorant ma mise en garde. Elle me faisait l'insigne honneur de m'adresser la parole pour la première fois depuis la veille de mes péripéties en parapente. Cette voix rauque et mielleuse! Elle ne l'utilisait que lorsqu'elle désirait me demander quelque chose…

Après quelques minutes d'une conversation creuse, j'ai su de quoi il s'agissait: « J'aimerais donner un frère ou une sœur à Samuel. Tu te souviens qu'il restait cinq embryons congelés? J'ai besoin de ton autorisation pour tenter leur insémination… T'es d'accord?

— Non mais ça va pas la tête? »

Cours toujours…

LA POUPÉE QUI FAIT OUI, NON, OUI, NON: LE CAUCHEMAR DES PREMIÈRES RENCONTRES

Marché oblige, nous n'avons souvent pas le choix d'au moins tenter de faire fondre ces icebergs d'impassibilité. Surtout si on ne veut pas attendre éternellement qu'une déesse *Tron* nous fasse apparaître l'image 3D de la femme de notre vie. Alors on s'y résigne, et rapidement on réalise qu'allumer la flamme des balbutiements amoureux avec l'Iceberg, c'est invariablement compliqué et catastrophique…

Il s'agit d'un numéro de danse sociale au rythme d'un pas en avant, cinq en arrière. On parle souvent de la féminisation des mots, des titres. Directeur ou directrice? Bien des femmes préfèrent se dire directeur. Bizarre, n'est-ce pas? Pas du tout. L'Iceberg Carriériste désire mener la valse-hésitation de l'amour. Un gars que je connais affirme à la blague qu'en ce domaine le mot «indécise» devrait toujours s'employer au féminin.

Des exemples?

L'automne dernier, au cours de nos expériences de drague à l'épicerie, une autre fille avait mordu à l'hameçon «russe». Lorsque je lui ai glissé qu'elle semblait européenne, cette Lucie m'a confié qu'on lui faisait souvent la remarque et qu'elle s'intéressait à la langue et à la culture russes. Quand elle m'a dit qu'elle travaillait pour l'agence de pub Vox, un monde de complicité s'est ouvert car j'y travaillais avant de devenir journaliste. Le courant a passé et elle m'a refilé ses coordonnées au boulot. Alors, le lendemain, je lui ai envoyé une boîte de chocolats. Trois jours sans nouvelles. Vérification faite auprès de la belle, le colis ne s'est jamais rendu à la destinataire, même s'il avait bien trouvé preneur chez Vox. Les créatifs de cette boîte semblent mourir de faim comme au temps où j'y pondais des slogans à deux sous. Je préviens la Lucie d'un second envoi. Après avoir finalement ingurgité la seconde boîte au cours d'un long week-end de réflexion existentielle sur la nature de mon intérêt, la jeune femme m'a expédié le lundi matin le courriel que voici:

> Bonjour, Monsieur D'Arcy,
>
> Je vous écris brièvement pour vous faire part de mon malaise face à la situation présente.
>
> Je peux comprendre que l'envoi de chocolats fut fait dans une bonne intention. Or, je me trouve plutôt déçue par tout l'embourbement qu'une simple discussion de russe au coin d'une rue a pu causer. Il a dû y avoir mésentente quant aux attentes et espérances.
>
> Bien évidemment, j'aurais pu vous le mentionner immédiatement lorsque vous m'avez téléphoné au travail, et ainsi éviter le

second envoi. Mais justement, j'étais au travail - quelque peu surprise, quelque peu désorientée par l'événement.

Cette banale discussion sur les langues étrangères est devenue une affaire personnelle - ce qui, je dois vous l'indiquer, m'embête au plus haut point.

C'est pourquoi je vous demanderais de ne pas donner suite.

Je vous en remercie.

Lucie Brunelle

Dieu du ciel… Ma réponse:

N'en faites pas une affaire d'État. Je vous ai trouvée sympathique et j'ai voulu agir en gentilhomme en vous envoyant des chocolats. Quand je vous ai demandé vos coordonnées, vous auriez pu me répondre: «je suis mariée», «j'ai un copain» ou «ça ne m'intéresse pas». Vous me les avez données et j'ai interprété le geste comme une preuve d'ouverture. Vous ne voulez pas me rencontrer? Tant pis. Vous n'entendrez plus jamais parler de moi.

Adieu.

Stéphane D.

Tu te bidonnes sur mon compte, mon p'tit coquin? Alors si ça peut ajouter à ton plaisir, Sam, voici une autre anecdote à propos d'un cousin.

Le gars rencontre une fille et lui paye la traite. Bar, resto. Elle semble enthousiaste, mais ça tombe à plat. Elle ne répond pas à ses deux appels. Il la rencontre par hasard dans un congrès annuel de pharmacologie. La fille lui dit: «Hé, tu ne te souviens pas de moi?» Il l'avait douloureusement effacée de sa mémoire. Bar, resto. L'espoir renaît et ça tombe à plat. Deux appels. *Niet.* L'année suivante, voyant que la tenue du congrès annuel arrive à grands pas, la fille lui écrit un premier courriel:

Bonjour, Marc-André !

Tu vas bien? Ça fait presque deux ans que je te promets d'aller prendre un verre et que je ne tiens pas parole pour toutes sortes de raisons. J'espère que tu sauras me pardonner. J'ai pensé qu'on pourrait se reprendre avant le congrès, si tu en as le temps. Je travaillerai pour Pharmex encore cette année. On se croisera sûrement au *show*, et j'ai pas envie qu'on s'ignore encore cette fois-ci.

Au plaisir d'avoir de tes nouvelles !

Mélanie Tremblay

Réponse de mon cousin le soir même…

Je suis à l'extérieur du Québec jusqu'à lundi. Je pourrais t'appeler à mon retour si tu me donnes ton numéro…

Ce qu'elle fait… Mon cousin laisse de nouveau des messages. Aucun renvoi d'appel. Excédé, il a requis mes services pour le clou dans le cercueil, que j'ai enfoncé avec ses encouragements enthousiastes…

Salut, feu Mélanie Tremblay,

Je t'ai laissé deux messages dans ta boîte vocale. Pas eu de tes nouvelles de la semaine. Tu dois être morte. Mes sympathies à ta famille. Je te souhaite beaucoup de bonheur au paradis.

Adieu.
Marc-André

Et ça, c'est si le torchon ne brûle pas dès le premier rendez-vous quand, comme me l'avait si bien décrit un copain, « t'es certain d'avoir trouvé la femme de ta vie à 7 h du soir et qu'après avoir cherché pendant deux heures à te convaincre que "Dieu est une femme", elle te persuade plutôt de sortir du resto en courant à 9 h ! »

Que des emmerdes…

QUATRE TRUCS POUR DRAGUER SOLIDAIREMENT (2E PARTIE)

Scène de bar. Mike est sur le *party*, mais je vois bien que François, le nez dans sa Molson, n'en mène pas large. Il est monosyllabique, ce qui, dans son cas, est fort inquiétant. Il ne semble pas impressionné par mes histoires de victimite aiguë mises sur le compte des débuts de relations caduques. Je lui ai découvert cet air abattu qu'il affichait le jour où sa Mado l'avait abandonné dans une maison presque vide. Le cœur est sans doute mêlé à tout ça. Mike essaie de le dérider, mais se décourage au bout de deux blagues macho et repart à la chasse dans la mêlée ensardinée sur la piste de danse. En regardant de ce côté, j'aperçois la blonde de François en grande conversation avec un M. Muscle. À partir du moment où Mike nous a laissés seuls, houblon aidant, mon ami s'est ouvert à mes questions en distillant l'information au compte-gouttes…

« Pis, c'est vrai ce que Mike m'a dit : ta Julie a débarqué sa brosse à dents pis sa garde-robe chez vous ? C'est pas un peu vite ?

— Julie était mal prise… Je la dépanne, c'est toute…

— À voir ta bette, c'est pas la joie… Ça va, vous deux ? »

Il regarde du côté de sa blonde qui amorce une danse de séduction devant le sourire béat de M. Muscle sur un air latino de Shakira. Puis il laisse aller un soupir aussi long que son visage défait et enchaîne en avalant le fond de son bock. Il m'explique qu'elle est fantastique à jeun, mais que le poison la transforme en ado attardée dès qu'elle met les pieds dans un bar. Lorsqu'elle sort avec les copines, disons que Julie rentre tard, ou tôt selon le point de vue sur la plage horaire suivant le *last call*. Et ça, c'est quand elle rentre.

Mike est revenu à l'instant où François, le regard absent et les yeux vitreux sous des paupières tremblotantes, terminait sa complainte par : « Julie, c'est *tough*… Les débuts, c'est jamais facile ! » Subtil comme toujours, M. Brad Bitte a voulu enrichir François de son point de vue sur la question…

« Toutes des chiennes ! Pour moi, une relation ça dure un week-end. *That's it !* »

… avant d'épiloguer sur sa thèse selon laquelle « l'amour dure trois jours » :

« J'ai même eu une passe où je pognais mes conquêtes dans Internet. J'en invitais trois à des soupers le vendredi soir. La première *date* à 6 h, la deuxième à 7 h et la troisième à 8 h… Un ami m'appelait sur mon cell à 6 h 30 et, si la *date* était pas *hot*, je prétextais une mortalité dans la famille et je décrissais pour aller au deuxième rendez-vous. Si ça marchait pour la deuxième fille, je courais aux chiottes pour appeler la troisième *date* et m'décommander. Je faisais jaser la fille sur ses *trips* pis ses ambitions le vendredi soir, après je la reconduisais à son char sans la toucher — juste un *french* — en lui faisant promettre que je la verrais le lendemain. Pis on sortait le samedi après-midi. Là, j'lui faisais accroire qu'elle était la fille que j'avais cherchée toute ma vie. Je beurrais épais ! Les filles tombent toutes pour ça. Je la ramenais chez moi pour lui servir un bon p'tit souper à l'italienne, pis j'la sautais du soir au lendemain matin. Le dimanche, je la crissais dehors avant le déjeuner. »

François ne prêtait pas attention, mais moi, je n'en croyais pas mes oreilles…

« Les filles devaient ca-po-ter ! ?

— Oh ! Les p'tites mères chialaient, mais ça durait cinq minutes pis j'en entendais pus jamais parler…

— T'avais aucun remords ? que je lui ai demandé avec une petite charge de dégoût dans la voix.

— C'est comme y disent tous, les tueurs à gages : c'est *tough* la première fois, pis après tu penses pus à ça… »

Fin de l'exposé. François était vert. Il s'est levé sans même nous regarder et s'en est allé rejoindre sa belle, qui en était rendue à l'étape du 3 pouces d'intimité avec M. Muscle. Vu de loin, la Julie a semblé l'envoyer joyeusement paître sous les yeux de l'Arnold qui lui faisait une moue du genre : « C'est la demoiselle qui décide : meilleure chance la prochaine fois, Joe ! » François est reparti sans mot dire, tout penaud et les épaules basses. Son regard était vide lorsqu'il a poussé la porte du bar, sans nous saluer, pour aller se faire fouetter par un vent froid sous une pleine lune rouge de mars.

Je n'ai pu rester sur cette triste image bien longtemps : Mike, à qui le drame avait échappé, m'a demandé un coup de main « pour draguer solidairement ». Dans les faits, il se sert toujours plus de moi, incapable qu'il est de jouer en équipe. Mike, c'est l'équivalent d'un talentueux « mangeux de *puck* », au hockey...

« OK, v'là le plan de match, Stef. C'est la passe Dentyne. Facile, facile. Tu connais la routine : tu te plantes devant une fille, tu l'emmerdes en faisant le nul et j'arrive en sauveur de la situation. Je me fais passer pour son *chum* et tu te pousses, OK ?

— Tu m'en revaudras une autre...

— Aie pas peur pour ça ! »

C'est noir de monde dans la boîte. La tête blonde de Mike tourne sur son axe comme un périscope hors de l'eau.

« Tu vois les deux filles là-bas, au bar ?

— T'as pas choisi les plus vilaines !

— Eh... *sky's the limit, man* !

— OK, je fonce ! »

Je me faufile en contournant la piste de danse. Le cœur n'y est pas lors des premières enjambées, surtout que je sais que je vais à la rencontre des deux pétards pour me brûler volontairement. Mais c'est plus fort que moi, je me laisse toujours prendre au jeu et, une fois dans la mêlée, l'adrénaline coule à flots. Mon cœur suit le rythme de *Ray of Light*, de Madonna, qui joue à tue-tête. Il me faudra quasiment beugler pour me faire entendre. J'arrive près des filles. L'une blonde platine à la queue de cheval et l'autre aux longs cheveux bruns lisses. Toutes deux sont fringuées comme des cartes de mode et à sont à l'évidence des régulières chez Rx Soleil. *Look* urbain et petites lunettes carrées pour la brunette, en contraste avec le style Barbie-bonbon de la blondinette. Elles sont belles à me disloquer les genoux. Je plonge...

« Salut !

— ...

— Je vois que vos verres sont quasiment vides, je vous en offre deux autres ? »

Les deux filles se regardent avec un haussement d'épaules exaspéré et les gros yeux.

« Écoute... on est entre amies ici, finit par me répondre la brunette. On jase, c'est cool... et pis tu sais comment on appelle ça un gars qui offre les *drinks* dans un bar ?

— Un bon gars intéressé par deux jolies filles?

— Non: un *waiter*!

— T'es méchante, Nancy, désapprouve la blonde. Il était juste en train de nous dire qu'il est gentil... »

Elle l'avait dit sarcastiquement, mais j'ai tout de même pris la balle au bond en tentant de reprendre ma contenance.

« Très gentil, même! Écoute ta copine, Nancy... Et toi, c'est quoi ton prénom? Moi, c'est...

— C'est que tu piges vraiment pas. (*La blonde se tasse sur son banc pour échapper à la main que je lui tends, comme si j'étais lépreux.*) La journée qu'on voudra d'un gars gentil-gentil pour sortir nos vidanges — je crois que je peux parler aussi en ton nom, Nancy —, on va en marier un! Reviens nous voir dans, disons... cinq ans, OK?

— Hé, les filles! (*C'est Mike qui arrive déjà avec deux* drinks.) S'cusez si ç'a été long, mais c'était difficile de trouver du parking. Phil va arriver d'une seconde à l'autre... »

Les filles acceptent les verres et affectent un air soulagé et content de le voir.

« Eh... merci... il était temps que t'arrives!

— Mais, c'est toi... Mike? que je lui demande, sachant très bien que je plongeais en pleine impro. Je t'avais pas reconnu sans ton tablier!

— ...

— Tablier? fait la Barbie.

— Oui, je vais acheter mes plats de pâtes chez lui deux ou trois fois par semaine! »

Mike me regarde comme si je venais de Pluton.

« Quoi, t'es commis au comptoir? demande Nancy d'un air condescendant.

— Non, Nancy. C'est lui qui fait la bouffe. Un vrai cordon-bleu!

— Et puis toi, me demande Barbie. Qu'est-ce que tu fais dans la vie à part servir aux tables?

— Journaliste. J'écris pour...

— Wow! s'exclame Nancy. On est gâté à soir... Un aide-cuisinier pis un fouille-marde! »

Là, elle pousse un peu fort.

« Mouais, c'est peut-être pour ça que je fouille icitte... En passant (*je tapote mon* chum *dans le dos*), Mike est pas aide-cuisinier, c'est à lui le commerce, pis y fait la piastre pas à peu près... *Ciao* le monde !

— Ah oui, Mike... t'es *businessman* ? Fallait nous le dire plus tôt ! (*Les filles ne se rendent même pas compte que je m'éclipse.*) Nancy et moi, nous sommes aussi en affaires ensemble. Les entrepreneurs, on aime ça !

— Ouais, on aime ça les gars entreprenants ! »

J'ai failli vomir...

Plus tard dans la soirée, Mike me retrouve aux toilettes.

« Eh, Stef... peux-tu me dire ce qui t'a pris ? T'as failli tout faire foirer ! Ç'aurait été dommage : as-tu vu ces deux poupounes-là, toé ? Ayoye !...

— Je les ai surtout entendues...

— En tout cas, c'est dans le sac avec la p'tite brunette !

(Tant mieux, vous vous méritez bien tous les deux.)

— Pis toi, ça clenche ? » m'a-t-il demandé distraitement en s'adressant un sourire de satisfaction dans le miroir.

Mike n'a pas attendu ma réponse et est reparti rejoindre ses minettes. Il n'avait même pas remarqué mon œil tuméfié. Quinze minutes auparavant, j'avais intercepté Julie dans le hall des Vieilles Portes alors qu'elle s'apprêtait à partir au gros bras de M. Muscle. Avec la bravoure d'un gars qui a un verre dans le nez, j'ai suggéré au matamore de séduire les filles libres comme l'air, plutôt que de peloter la blonde de mon copain. Devant son indifférence, j'ai eu recours à un choix de mots qui ne faisait pas partie du lexique diplomatique. J'ai finalement obtenu son attention et, en guise de réponse, il m'a servi une raclée.

Ici s'achève le récit de ma contribution à la solidarité mâle. Laisse-moi te dire, Sam, qu'elle s'est fichue un œil au beurre noir, ma solidarité mâle...

MERCREDI 16 AVRIL 2003 :

La femme idéale

Un jour, Aimance 888 m'a convié sur www.amour-eternite.com, un site Web entièrement dédié aux activités de marieuse de la Déesse de l'Amour. S'y trouve un salon de discussion où nous clavardons depuis mars pour faciliter la communication. Nous n'y sommes jamais dérangés. Je m'y sens comme dans une autre dimension spatiotemporelle. Si le site est commercial, rien n'y paraît. Il ne présente aucun message de sollicitation ni code d'accès pour membres. Aucun dispositif e-commerce apparent. Il y a bien un onglet réservé aux « Nymphes d'Aphrodite », mais le lien semble inactif. Je ne sais toujours pas quelle identité terrestre se cache derrière la mystérieuse déesse du Net, mais elle a mis toute la gomme pour créer son Temple virtuel de l'Amour. On aurait dit que tout un univers avait été créé seulement pour nous deux.

Je viens d'en savoir un peu plus. Je retranscris ici la séance de clavardage que nous venons d'avoir il y a quinze minutes à peine.

Aimance : Bonjour Stéphane, désolée de voir que tes démarches sont si ardues. Je vois bien que tu suis une fausse piste… Alors je veux bien te proposer quelque chose pour t'aider un peu.
Cyrano : OK… Quoi ?
Aimance : Veux-tu te prêter au jeu de la vérité ?
Cyrano : Les règles ?
Aimance : Tu peux me poser n'importe quelle question à mon sujet. Seulement, je ne devrai répondre que par oui ou non, vrai ou faux. Et tu n'as droit qu'à une seule question… Compris ?
Cyrano : Ça me paraît honnête…
Aimance : Alors dégaine et tâche de viser juste…

Une minute s'écoule.

Cyrano : Es-tu l'Amour de ma vie ? Mon Saint-Graal ?

Trois longues minutes passent, qui me semblent les plus longues de mon existence…

Aimance : C'est que je craignais…
Cyrano : L'es-tu ?
Aimance : Non. Désolée.

Voilà la fausse piste dont elle parlait. Malgré ses mises en garde du début, j'en étais arrivé à espérer qu'Aimance fût *ma* déesse. En fait, depuis la découverte de son site Web, je m'étais mis à ne plus en douter. C'était l'entreprise de séduction la plus romantique à laquelle il m'avait été donné de prendre part. Nos clavardages s'étendaient parfois sur des heures et notre complicité me transportait si haut ! J'en étais venu à ignorer qu'elle écrivait sur l'Amour de ma vie à la troisième personne.

J'ai mis quelques minutes à me ressaisir.

Cyrano : À quoi rime tout ça, alors ?
Aimance : La femme de ta vie, je te jure qu'elle existe. Il ne s'agit simplement pas de moi. Mais je sais qui elle est. Et lorsque tu seras prêt, je te conduirai vers elle. Fais-moi confiance...
Cyrano : Peux-tu au moins me la décrire un peu ? De quoi a-t-elle l'air et quels sont ses goûts ?
Aimance : D'accord. J'active un nouvel onglet à droite, tout en bas de ton écran. J'avais préparé un message à te livrer au bon moment...

Une icône apparaît effectivement. L'inscription « Ta muse » sous une plume d'oie. Je clique. Une musique des *Mille et une nuits* démarre, le fond d'écran tourne au rouge velours et des chandelles viennent en éclairer les quatre coins. Puis le message suivant est déroulé en caractères de parchemin.

Stéphane,

J'ai l'immense bonheur de te dévoiler les charmes de ton futur Grand Amour. Il s'agit d'une femme bien spéciale pour un homme qui l'est tout autant...

Le mâle en toi va être comblé : elle est d'une remarquable beauté et incroyablement sexy ; sa féminité est éblouissante et ses tenues audacieuses. Aussi lunatique puisses-tu être, tu ne pourrais la croiser sans qu'elle te fige sur place.

C'est une idéaliste passionnée avec beaucoup, beaucoup de caractère.

La musique est un hobby que vous partagez avec abandon. Elle l'a dans la peau.

Très spirituelle et d'une grande ouverture d'esprit, ta future muse croit en la réincarnation et en un Amour d'éternité.

Songe à ta femme idéale et c'est elle…

Voilà. J'en ai assez dit.

Aimance 888

Aimance me parle de ma femme idéale et pourtant je ne me connais aucun idéal de femme. En creusant, ma seule référence à une femme idéale a pris forme un jour de pluie sur la couverture d'un magazine. Une bellissime gitane dans une pause romantique. Elle m'avait effectivement figé sur place. J'avais pris la revue dans mes mains pour l'admirer de plus près, et d'instinct je me rappelle m'être dit qu'une telle icône de féminité serait parfaite pour moi. La gitane dégageait une aura de magnificence, d'exubérance et de mystère. Une fleur de Dali dont j'aurais rêvé d'humer le parfum d'opium. Tout ce qu'une femme devait être et n'était… jamais. Et comme la plupart des gens devant un rêve impossible, j'ai laissé la chose de côté pour ne plus y repenser jusqu'à aujourd'hui.

MARDI 20 MAI 2003 :

Mononc' D'Arcy

Le rêve est récurrent. Je dois le faire au moins deux ou trois fois par mois. Le même songe qui avait suivi le premier message d'Aimance 888 au cours de la période des fêtes :

agence de rencontre dans une bibliothèque, une splendide rouquine un peu timide avec qui je découvre une chimie instantanée et à qui je demande un premier rendez-vous, et, à la finale, son sourire éclatant qui déclenche la sonnerie de mon réveil amoureux. En fait, avec le temps, le rêve s'est complexifié. Nous nous prenons par la main et, cette nuit, je l'ai même embrassée. C'est comme si je la connaissais depuis toujours et que notre « relation » évoluait. Voilà que je me mets à avoir plus de succès auprès des filles du pays de Morphée, et à parler de la muse vaporeuse comme si elle existait de chair et d'âme. Enfermez-moi, quelqu'un…

Les fantasmes des promesses virtuelles, les couvertures de magazines et les rêves romantico-récurrents sont une chose. La réalité en est une autre pour laquelle je suis généralement moins doué. Mais il fallait m'y rebrancher.

La première fille en chair et en os qui m'a inspiré un véritable frisson, c'est Stéphanie, une chanteuse qui s'exerce avec notre *band* de temps à autre et remplace François aux claviers lors de ses absences de plus en plus fréquentes. Chance inouïe, elle semblait indifférente aux charmes de Mike, ce qui la rendait du coup intéressante à mes yeux. Mon cœur avait procédé par déduction logique. Il avait du sens. Las des femmes de ma génération, il avait jeté son dévolu sur une jeune blonde platine de 21 ans aux allures de nymphette (elle en paraissait à peine 17). En prime, elle correspondait à la description fournie par Aimance 888. Comme plusieurs filles de son âge, Stéphanie était à la mode exhibitionniste, avec ses jeans moulants à la taille qui démarquait la frontière entre la décence et la décadence, et la poitrine bien mise en valeur dans ses camisoles coupées au-dessus d'un adorable nombril orné d'un *piercing* en or. De plus, la chanteuse est une idéaliste passionnée de musique qui ne vit que pour une audition devant le jury de Star Académie. Elle a, par ailleurs, tout ce qu'il faut pour percer : de la détermination à revendre, le *look* top modèle et, surtout, la voix. Une voix de sirène prépubère dont le filet me piégeait dès qu'elle soufflait mon nom. Une voix qui me modulait à la fréquence bêta. Comme dans « gros bêta ». Une voix de Lolita qui déroutait les télévendeurs au point qu'ils demandaient à parler à sa mère lorsqu'elle répondait au téléphone.

Ce soir, je l'ai sortie au Casino de Montréal. Pour l'impressionner, évidemment. Un producteur m'avait donné deux billets de faveur pour son spectacle de style cabaret et j'ai fait saliver Stéphanie lorsque je lui ai présenté la directrice artistique dans les coulisses. Pour l'occasion, la nymphette avait étrenné une longue robe noire d'un chic désarmant, qui relevait le satin blanc de sa peau et la blondeur de ses cheveux longs. Je ne pouvais la quitter des yeux et éprouvais une grande fierté à ses côtés lorsque nous nous sommes éclatés à jouer en parvenus aux tables de black-jack et à faire tinter les machines à sous. J'espérais malgré moi voir s'aligner trois cœurs et empocher le sien.

Sur le chemin du retour, malgré mes poches vides, je me disais que l'affaire était dans le sac. Nous en étions à notre troisième sortie en moins de deux semaines et elle riait aux éclats à chacune de mes reparties. La magie nous transportait. Je me disais : « Mille mercis, Aimance 888 ! C'est sans doute elle que tu as vue des hauteurs de l'Olympe. »

C'était jusqu'à ce que nous bavardions de tout et de rien, et de la mode en particulier. Sur le sujet des critères d'esthétisme au masculin, j'allais lui dire qu'avec ma toison gorillesque j'étais *out*... lorsqu'elle m'a confirmé que j'*étais out* :

« En tout cas, y a pas une de mes *chums* de fille qui baiserait avec un homme des cavernes ! Le poil, ça m'écœure ben raide ! Peux-tu me dire cé qui l'moron, en 2003, qui se promènerait avec le tapis Gino Camaro ? » ... Moi, ma belle.

La sirène m'a laissé sans voix. Il m'est alors passé par l'esprit qu'elle ne m'avait vu qu'en chandails à col haut — c'était un conseil de Mike lors de notre escapade magasinage de l'automne dernier. Je cachais donc le secret honteux de ma pilosité sous mes vêtements.

Lorsque nous sommes arrivés devant chez elle, Stéphanie s'est penchée pour m'embrasser. J'étais paralysé. D'ordinaire, j'aurais pu en profiter pour monter chez elle. J'ai esquivé sa bouche entrouverte pour lui coller un baiser rapide sur la joue. Elle m'a regardé d'un air perplexe et je lui ai souhaité une douce nuit.

Avant qu'elle ferme la portière sur ma solitude, je lui ai posé une dernière question :

« Crois-tu en la réincarnation ?

— Pourquoi, tu veux... (*Elle a marqué une hésitation, un peu désarmée, puis elle s'est ressaisie.*) En fait, non. C'est des niaiseries, ces patentes New Age-là...

— Ça explique tout. Merci!»

Ce n'était pas donc pas l'élue promise par Aimance 888.

J'ai bien tenté de me parler, mais Freud l'a fait de plus éloquente façon. La nuit venue, j'ai rêvé à un troupeau d'Adonis imberbes regroupés autour de la jeune sirène en plein numéro de chant. J'étais assis aux premières loges pour assister au spectacle, vieux et chauve, avec pour toute parure un minuscule maillot Speedo au motif léopard et une fourrure grisonnante. Réveil en nage. Le complexe René Angélil, très peu pour moi.

Adios, Stephie.

VENDREDI 23 MAI 2003:

Pan ! T'es mort !

«J'ai du poil dans le dos.

— Moi aussi... pis?»

Cet échange d'aveux, initié par François alors que je lui parlais de Stéphanie pendant une soirée noyée dans la vodka, m'a vaguement rappelé le jour où, au bord de la piscine, à l'été de mes 8 ans, moi et mon meilleur ami, Pierre Gignac, nous sommes montré nos zizis. C'était une partie de notre corps d'enfant que nous savions empreinte d'un tabou. On devait cacher son zizi à tout prix. C'était sale. Ça servait à faire pipi. Le montrer à un ami, même l'espace d'une microseconde, m'avait demandé un courage sans nom. Déjà, la pression des stéréotypes sexuels déformait mon esprit de compétition. Je me rappelle encore mon soulagement de voir que la mienne n'était pas plus petite que la sienne. Et, oui, j'ai gagné à celui qui pisse le plus loin!

Maintenant, un *chum* me parle de son poil et, triste constat, au troisième millénaire, ça entre dans le registre des confidences honteuses. Un peu plus et nous courions aux toilettes de L'Escale pour nous exhiber nos torses hirsutes, question de savoir lequel de nous deux était le plus handicapé. Parce qu'un homme, au troisième millénaire, ça n'a plus un poil sur le corps. Et ça, c'est le début de la fin de la virilité.

L'homme, le vrai, n'est plus (minute de silence).

La femme nord-américaine fait tellement pression sur nous pour que nous lui ressemblions que nous allons devenir, littéralement, roses — comme dans peau de bébé rose. Imberbes. Asexués. Un jour, toujours insatisfaites de nous raser la poche à vif, les gonzesses vont nous exciser les couilles d'un bref coup de lame. Zip! Alors, nous ajusterons la fréquence de nos communications à l'aiguë de la femme. Pour une fois, quitte à ne pas en comprendre la science et les raffinements, nous allons parler comme elles.

À travers l'histoire, le poil a représenté la virilité masculine. Mais le doigt accusateur judéo-crétin n'a jamais été bien loin et, s'il y avait prolifération de la pilosité sur l'ensemble du corps, alors on l'associait aux bas instincts démoniaques de la sensualité débridée, personnifiée par le dieu grec Pan, demi-homme, demi-bouc. Le corps velu, c'était dévolu à l'animal.

Alors, nous transformer ainsi en ados impubères des pubs de Calvin Klein, n'est-ce pas la métaphore du rejet de l'animal en nous?

Dans *L'Iliade,* raser un animal appelé au sacrifice signifiait le vouer à la mort. Au troisième millénaire, l'homme est déjà sur l'autel! Nous sommes devenus de petits moutons à tondre. Un peu comme Dalila l'a fait à Samson, la femme nord-américaine nous entraîne dans la voie de la coupe à blanc, pour mieux nous décapiter lorsque, amputés de nos symboles de virilité, nous n'aurons plus la force nécessaire pour nous défendre.

L'homme, effectivement, ne sera plus. Et bien plus que le rejet de l'homme, c'est celui d'une certaine sexualité et de la sensualité. Le poil est ce qui décuple toutes nos sensations tactiles — le plaisir qu'engendre le toucher lui est en grande partie tributaire. Il nous aide aussi à ressentir l'état émotif de la femme lorsqu'elle nous touche. Le sexe sans poil, c'est génital, dépourvu de sensualité et d'émotion. Comme la porno, qui depuis longtemps a lancé cette mode de l'épilation intégrale.

Parlant XXX, j'ai une *chum* de fille (une Maryse) en pleine crise de la quarantaine avec qui, de temps à autre, je regarde des films de cul. Ce dada coïncide mensuellement avec la pleine lune. Quand l'astre nocturne se gorge de lumière, ma copine ne se peut plus et elle me demande sa dose. Je souhaite une *chum* de fille comme elle à tous les célibataires. Disons que j'ai du pot de ce côté. Bah ! c'est si compliqué de draguer une fille pour un soir que si on ne peut plus sauter ses amies... ! Bref, l'autre soir, Maryse me confiait qu'elle avait commencé à se raser la chatte depuis que je l'avais initiée à la porno moderne. Elle a débuté par la ligne bikini, puis se découpait un petit triangle au-dessus du sexe. La dernière fois que je l'ai vue, elle n'avait laissé qu'une mince ligne verticale sur son pubis. Je l'ai stoppée à ce niveau, lui signifiant que, sinon, j'aurai l'impression de baiser une ado prépubère. Elle m'a alors avoué avoir de plus en plus de difficulté à s'exciter à la vue d'une chatte modèle 1970. D'ailleurs, le poil en porno, on ne retrouve plus ça qu'au rayon des fétichistes, au même titre que les obsédés du talon aiguille, du *golden shower* et des femmes obèses ou de 60 ans et plus.

Par contre, je le lui donne, Maryse ne peut se faire à la mode des gars qui se rasent le torse, les jambes et les aisselles. « C'est plus un homme, ça. »

Malheureusement, Maryse représente une minorité.

Je me demande parfois si ce n'est pas simplement la revanche des filles. Car c'est nous, les gars, qui, les premiers, les avons cloîtrées dans une guêpière de conformité à un idéal juvénile. Ce sont elles qui ne peuvent plus, comme me l'a démontré Maryse, se pointer la chatte velue devant un homme. On les retrouve, elles aussi, couchées sur les pubs de Calvin Klein, sans formes et anorexiques. L'actrice Scarlett Johansson *(Lost in Translation)*, les trouve repoussantes et tristes. « Tu assistes à une parade de mode et la top modèle est un cintre pour la robe. C'est perturbant[17] ! » Kate Moss tient effectivement davantage de la nénette de 12 ans que de la vraie femme — nous sommes loin de Sophia Loren. Pour certains ethnologues, par ailleurs, cette tendance malsaine évoquerait une pédophilie non avouée. Toujours selon eux, de l'autre côté de la médaille, ramener l'homme à un idéal prépubère, c'est l'émasculer, le rendre moins menaçant — voire apte à être plus aisément dominé.

---

17. Entrevue donnée à *Harper's Bazaar*, janvier 2005.

Est-ce que les femmes développeraient à leur tour cette tare inavouable? Ou cela serait-il simplement relié à une bisexualité féminine de plus en plus manifestée? Des chercheurs du département de psychologie de l'Université Northwestern (États-Unis) ont mené une expérience qui a démontré, à la suite du visionnement systématique de vidéos érotiques de diverses orientations sexuelles, que les femmes étaient excitées indépendamment du type de film projeté, qu'il mette en vedette des hommes homosexuels, des couples hétérosexuels ou encore strictement des femmes entre elles. Ainsi, pensent ces chercheurs, les femmes seraient naturellement bisexuelles.

Maryse penche pour la théorie de l'émasculation. Aussi, elle croit que voir l'épilation comme un signe d'hygiène, c'est une connerie. «Après tout, doit-on se tondre le crâne pour être propre?» Moi, je crois que le sida a causé l'aseptisation pure et simple de la sexualité. L'humain évolue souvent à coups de mouvements de balancier. Les puritains de la société américaine bien-pensante ont profité de la percutante invasion du sida dans notre intimité pour freiner la révolution sexuelle, où le poil jouait un rôle anticonformiste. Le sexe est soudain redevenu péché et sale, comme le zizi de mes 8 ans. On doit maintenant l'envelopper dans un sac de plastique tel un macchabée. Et le raser, comme la bête à sacrifier au Dieu vengeur et mécontent. Le sexe devient, oui, aseptisé — lavé de toute émotion. Propre et mécanique.

Tous deux célibataires, Maryse et moi trompons souvent l'ennui ensemble. Question de troc, ma copine m'a initié à un tout autre genre de porno, celle de la télé grand public. Non, je ne parle pas des *soaps* mais bien de la téléréalité. Une fois la semaine, nous avons regardé la deuxième saison d'*Occupation double*. Oui, ce rendez-vous hebdomadaire d'une dizaine de célibataires incultes et totalement superficiels. Moi qui déteste la télé... Mais bon, Maryse y tenait.

Cette émission a mis le dernier clou au cercueil de l'ours en moi. Le grand gagnant des gars, un beau mec un peu plus futé que les autres, prénommé Hugo, me lançait un message d'espoir. Lorsqu'on lui avait annoncé sa victoire, il s'était exclamé, médusé: «J'en reviens pas! J'ai gagné... J'en reviens pas! Pis j'ai du poil su'l *chest!*» Oui, la lumière au bout du tunnel. Un des miens remportait une palme de séduction en *prime time*. Le gars arborait même mon nouveau *look* aux cheveux mi-longs et à la barbe de trois jours.

Mais quelle est la première récompense qu'ils lui ont refilée, à mon héros d'un jour ? Je vous le donne en mille : on l'a tondu. Littéralement. On a commencé par jouer gaiement du ciseau dans sa belle tignasse. Puis Épiderma, symbole corporatif de cette industrie de l'émasculation qui rapporte 38 millions $ par année au Québec, a commandité glorieusement la tonte de ses sourcils et du haut de son corps, bras compris. Maryse et moi sommes tombés sur le dos. Le pire, c'est que le mouton Hugo souriait. Je crois même qu'il a bêlé... Enfin, on l'avait sauvé de sa monstrueuse virilité !

Je ne me remettrai jamais de cette cuisante défaite !

Oui, tous des moutons le regard fixé dans la direction vers laquelle le vent tourne. Ce n'est pas un hasard si Jean Charest, notre nouveau leader politique, a l'air d'un oviné et agit comme tel — il nous représente très bien ! Lui aussi, il doit boire sa Molson comme 90 % des Québécois qui boudent les microbrasseries de chez nous au profit de mégafabricants de bières fades. Charest, c'est sûr, il n'a pas de *poil su'l chest* ! Vote pour lui sans trop poser de questions, mon Hugo... Bêêêê !

LUNDI 26 MAI 2003 :

Quand Brad Bitte dévoile son côté sombre

Après un week-end à bougonner, j'étais encore de « mauvais poil » ce lundi matin. Qui aime les lundis matins de toute façon ? Mais j'avais toujours le cafard après l'heure du dîner, Aimance n'était pas au salon de clavardage et, comme je n'avais pas le cœur à l'ouvrage, alors j'ai pensé à payer une petite visite à Mike, le seul ami qui pouvait vraisemblablement accueillir mon spleen dans l'immédiat. Les après-midi étaient toujours calmes, au magasin, en début de semaine.

Il était d'ailleurs avachi derrière son comptoir à siroter un espresso lorsque j'ai franchi le pas de sa porte battante. Il griffonnait des bonshommes allumettes sur des bouts de papier. Sans même me saluer, il m'a refilé un premier croquis: un gars demande à sortir au ciné et la fille lui arrache le cœur en lui criant de ne plus l'étouffer. Puis il m'a glissé le second: un bonhomme demande à une fille comment elle va et il se fait écorcher vif pendant qu'elle lui rugit son besoin d'espace. Et ainsi de suite: le troisième gars est décapité par une fille après l'avoir complimentée sur ses souliers, sous prétexte qu'elle ne désirait qu'une relation amicale, puis le quatrième se fait tirer une balle dans le crâne et le cinquième se fait crever les yeux…

« Joyeux ! Moi qui venais ici pour me remonter le moral… »

En me tendant le dernier chef-d'œuvre, où une fille tombait dans les bras d'un gars après qu'il lui eut vanté l'ampleur de son compte en banque, Picasso m'a expliqué avoir vu son ex déambuler sur la Principale samedi soir avec « son pédant de chauffeur de BMW de marde ! ».

Ici a commencé une regrettable discussion sur l'amour. Mike s'y attaquait avec verve. Avec mon lot de mésaventures, je n'étais pas enclin à en défendre l'existence et encore moins les vertus, mais c'est plus fort que moi: dès que quelqu'un s'acharne à démolir un idéal, je rue dans les brancards.

Je lui ai cité un extrait de *Songe d'une nuit d'été…*

« Tu mises trop sur l'apparence, alors t'attires des filles semblables à toi. Tu sauras que l'amour ne voit pas avec les yeux, mais avec l'âme !

— Shakespeare… C'est pas lui qui a écrit l'histoire romantique la plus célèbre: t'sais, celle qui se termine par un double suicide? Veux-tu que je t'en cite une autre bonne, moé? " On ne voit rien avec le cœur. L'essentiel est risible pour les yeux." C'est de Saint Ex Qui A Péri ! »

C'est là-dessus qu'est entrée la mignonne Manon, rondelette assumée qui dégage un charme fou et distille un parfum de douceur dès son arrivée. Mais son visage a perdu sa candeur lorsqu'elle a entendu le propos de Mike, et elle s'est rangée farouchement de mon côté… Pour toute réponse, Mike l'a traitée de grosse vache fraîchement extirpée d'un roman Harlequin. Jamais je ne l'avais vu insulter une fille en pleine face. Je n'ai pas eu le temps d'intervenir que Manon avait déjà claqué la porte…

« Pourquoi tu l'as revirée bête de même ?
— A lâche pas avec ses histoires de romance. A m'énarve !
— Elle est super gentille. Pis après tout, c'est une cliente. Tes affaires lèveront pas avec un service à la clientèle de même.
— A vient presque tous les jours chercher son crisse de tiramisu. Si je lui parle, j'en ai pour une demi-heure à chaque fois… Et pis cé : "As-tu vu Stéphane ? Est-ce qu'il va venir te voir aujourd'hui, demain, après-demain ?" C'est une perte de temps. Pas rentable.
— C'est vrai ? Pourquoi tu me l'as jamais dit ?
— Crisse, t'es aveugle ? Et pis c'est une grosse torche ! J'lui dis de pas espérer, qu'est-ce que tu penses ? Remercie-moé, j'te rends service ! Écoute, *man,* elle a le cul large comme l'autoroute 15… Qui veut d'une fille au cul large comme l'autoroute 15 ? À moins que tu veuilles qu'on prenne chacun une voie ?
— Tu m'écœures, le Brad Pitt. Cette fille-là, à force de se faire recevoir de cette façon, elle va déprimer, perdre l'appétit, retrouver son poids santé, passer à l'émission *Métamorphose* et devenir pétard. Et tu sais ce qu'elle va faire ? Elle va se venger des mecs comme toi sur un pauvre innocent bien intentionné qui va juste vouloir lui offrir un verre dans un bar. Exactement comme les psychopathes de tes dessins. Manon, tu lui dessines son futur, aujourd'hui ! »
Il m'a regardé comme un chevreuil surpris en pleine nuit par les phares d'une automobile.
« T'es fou, hostie ! Tu veux la défendre comme tu défends l'ammmourrr. C'est pas en faisant semblant de trouver *cute* une grosse *bitch* que tu vas me prouver que l'amour existe, chose. L'amour… c'est le Saint-Graal des utopistes ! Pis tu l'sais comme moé ! Dans le fond, c'que tu voudrais, c'est du cul, pis tu réussis pas… La vérité, c'est que tu voudrais être comme moé, pis tu le peux pas… »
Mes yeux viraient au rouge. Les siens aussi. Dire que j'ai déjà prié le ciel de faire un Brad Pitt de moi…
« J'veux surtout pas revirer comme toé, Mike… Moi, en vieillissant, je vais être entouré, mais toé, tu vas finir tout seul !
— Non, toé tu vas te remarier pis te sentir pas mal tout seul pendant que moé, J'VAS FOURRER TA FEMME ! »

MARDI 27 MAI 2003 :

Enfermez tous les misogynes

La connerie profonde de Mike m'a rappelé les insanités que les *chums* de beuverie de mon père se racontaient au sujet de leurs « servantes à la maison » et des « poudrées » qu'ils se tapaient en douce. C'est sans parler des épithètes relevées dont ils usaient pour cataloguer celles qui étaient sur les rangs pour leur « piquer leurs jobs » ou encore de leur façon de décrire leur nouvelle secrétaire en des termes très appropriés pour le modèle dernier cri d'Électrolux.

Rien n'a-t-il changé ? Soit la femme est madone, soit elle est putain : pas de zone grise. Mike croyait que, parce qu'il baisait celles qu'il voulait, les femmes étaient toutes des salopes.

C'est comme ça que la peur d'être jugées a sectionné les tripes qui relient le cul au cœur chez nombre de Québécoises. Soit on baise, soit on aime.

Pour enrayer le mouvement, je me suis amusé à me défouler sur la rédaction de petits projets de loi qui, à défaut de vraiment régler le problème, enfermeraient les misogynes et favoriseraient la concupiscence féminine.

Voici ce que proposerait un gouvernement D'Arcy !

Art. 1.1. Deux semaines de prison et 1000 $ d'amende pour toute insanité misogyne dite en public, et un an ferme pour les Jeff Fillion qui se le permettent dans les médias.

Art. 1.2. Crédit d'impôt pour les femmes célibataires qui déclarent avoir baisé plus de 100 fois avec au moins quatre partenaires sexuels au cours de l'année fiscale précédente. Bordereaux d'authenticité à signer par les partenaires déclarés.

Art. 1.3. Le bonus de fertilité : allocation familiale de 10 000 $ pour chaque fille née au Saguenay, sur la Côte-Nord, en Abitibi ou en Gaspésie. On ne cultive pas de complexe dans ces régions.

Art. 1.4. Gratuité complète pour l'admission aux cours de massage et de baladi, aux séminaires de tantrisme et au spectacle de Marc Boilard.

Art. 1.5. Assouplissement des règles régissant l'immigration des populations réputées les plus chaudes, peu importe les critères linguistiques… la priorité étant mise sur une tout autre langue.

Art. 1.6. Une séance de *chat* d'une trentaine de minutes par jour avec la Déesse de l'Amour.

Aimance : Je vote pour toi demain matin.
Cyrano : Merci pour le soutien, mais t'es comme ma mère. Tu voterais pour moi peu importe les conneries que je pondrais.
Aimance : De toute façon, oublie Mike, les Brad Pitt et les filles difficiles… Ton grand jour arrive !
Cyrano : Ah oui ?… Quand ?
Aimance : Sois à ton ordi demain à midi pile. Pas une minute de retard, OK ?
Cyrano : Pourquoi demain, et pas hier ou il y a trois mois ?
Aimance : Parce que tu es prêt. Tu es un homme, maintenant.
Cyrano : Merci quand même. J'étais quoi, quand tu m'as connu ?
Aimance : ;-) La femme à laquelle je te présenterai mérite quelqu'un qui se tiendra debout, qui saura l'apprécier et qui croit en l'amour avec un grand « A ».
Hier, tu as prouvé que tu étais capable de sacrifier une amitié pour défendre l'amour. Et tu y crois malgré les trahisons, ton divorce, Catherine, Stéphanie et les autres femmes qui ont composé les hauts et les bas de ton célibat.
Et tu as su te tenir debout en refusant de te travestir en métrosexuel sans-cœur pour devenir un Brad Pitt, en prenant le parti de Manon et une raclée pour protéger l'honneur de François.
Tu n'as pas non plus renié tes valeurs quand tu as refusé l'utilisation des embryons congelés. Tu as passé tous les tests…
Cyrano : Comment t'es au courant pour les embryons congelés ? Je t'ai écrit sur tout le reste, mais jamais à propos de cela…

Aimance: Je suis la Déesse… Je vois tout et je sais tout. Je te l'ai déjà dit plus d'une fois: pour croire en l'amour, le test ultime est de croire en la magie… de croire en moi.
Cyrano: C'est de la folie. Mais je crois en la folie. Ça te suffit?
Aimance: À demain, champion.

MERCREDI 28 MAI 2003:

Le jour J

J'ai refait le rêve de la mystérieuse rousse à la bibliothèque. Sauf que, pour la première fois, la muse romantique avait l'air triste à mourir. Elle s'est approchée de moi et a pleuré silencieusement son désarroi sur mon épaule. Elle a chuchoté: « J'ai peur. »

Ce songe n'a rien pour me rassurer… Surtout qu'anticiper l'amour est plus insupportable lorsqu'on nous prévient de l'heure à laquelle il se pointera. L'attente est interminable. Les secondes nous filent entre les doigts lorsqu'on a besoin qu'elles s'étirent et se figent comme un troupeau de vaches sacrées en travers du chemin de notre destinée, alors qu'on souhaiterait plutôt les voir passer en mode accéléré.

Je venais de supprimer la centième version de l'intro d'un article au sujet assommant lorsque Aimance m'a enfin lancé un courriel à midi tapant. Inutile de te dire, Sam, que j'avais les tripes en bouillie. Pour me calmer, je me répétais une règle réputée immuable: « L'amour ne se commande pas. » Mais un neurone reliant le cœur à la cervelle avait été court-circuité par la Déesse. Elle avait tellement bien préparé le coup que j'entendais la foudre gronder sa venue au loin. Je m'attendais à ce que, par miracle, en ce beau milieu d'un mercredi autrement morne à chier, la baguette magique de ma correspondante virtuelle transforme d'un frétillement le parking désert de mon cœur en un parc d'attractions aux mille feux d'artifices.

Si la Déesse réussit son coup, il s'agira d'un précédent historique, rien de moins. Alors je te retranscris le tout en temps réel… Je ne veux rien te faire rater.

Aimance m'invite à me rendre dans son site Web et à placer mon curseur sur l'onglet « Nymphes d'Aphrodite ». Elle me demande alors si je suis paré pour le décollage…

En connais-tu beaucoup qui se sont vu convier au Grand Amour à heure fixe avec résultat garanti par une illuminée qui se prend pour Aphrodite ? Je lui réponds que rien ne peut préparer à cela… Je me sens comme Neil Armstrong avant le lancement d'Apollo XI.

Aimance : Alors… 10-9-8-7-6-5-4…

Tension insoutenable…

Aimance : 3-2-1… 0… *Lift off* !

Je clique sur l'onglet…

Une nouvelle fenêtre apparaît avec en arrière-plan un paradis de Monet traversé d'un long fleuve se perdant à l'horizon, puis, une à une, des cartes se superposent au décor. Sur chacune un pseudonyme en hyperlien. Je clique sur « Première Flamme » et surgit une fiche sur laquelle est inscrit le nom d'une petite voisine de mon enfance : Lilly-Rose Chateauvert, le nom prédestiné de la princesse d'un conte de fées que je me jouais, sans relâche, dans la tête rêveuse de mes 9 ans. Au bas de la fiche l'amorce d'un texte : « Il était une fois un petit prince… »

Je clique ensuite sur « Premier Amour impossible » et apparaît la muse insensible de mes premiers poèmes torturés du secondaire. Et le texte se poursuit : « … qui prit la gouverne de la barque de son cœur pour la fracasser une première fois sur les rochers d'un rapide inhospitalier… » Puis s'enchaînent ainsi le « Premier Baiser » d'une amourette d'été au parfum des fleurs de corail, le « Premier Amour » d'Audrey, la Lolita du collège avec laquelle j'ai été initié aux mystères du corps — et du cœur — féminin, ma « Première Fiancée », Amélie, la blondinette rebelle, avec laquelle j'ai formé un duo de barques à la dérive pour une expédition de huit années sans boussole, et ma « Première Épouse », Anne, que je surnomme Naziane pour lui accoler le préfixe de tous les maux, une amie qui m'a trahi…

Puis ma barque virtuelle poursuit un trajet en solitaire. Sur les rives, les cartes aux noms dépourvus d'hyperliens de mes premières aventures éphémères: « Nymphe Catherine », « Nymphe Olga », « Nymphe Daphnée » et « Nymphe Luisa ».

L'émotion m'envahit à la succession de toutes ces femmes qui ont composé mon parcours. Au terme du voyage, le fleuve se jette dans une petite baie aux rives verdoyantes. Tout au fond, un temple surplombe les eaux. Le style n'est ni grec ni romain. Plutôt une pyramide aux arêtes arrondies qui jaillit de la baie parcourue de vignes denses. Ce temple est une création de la Terre qui s'érige en pont vers le ciel. Je ne sais où Aimance a déniché cette animation, mais elle est l'œuvre d'un artiste de génie.

Puis, au pas de l'immense portail du temple, prend forme une figurine de princesse fraîchement sortie d'un conte des *Mille et une nuits*. L'image vacille pour attirer l'attention. Je clique sur la figurine et apparaît une petite fenêtre de clavardage.

Le Grand Amour va-t-il m'accueillir en personne?

Maya: Bonjour, étranger. À qui ai-je l'honneur?

Toute cette mise en scène m'inspire une montée de prose chevaleresque…

Cyrano: Le prince D'Arcy, pour vous servir…
Maya: Et ce Cyrano que vous traînez…?
Cyrano: Ne m'en veuillez pas si Cyrano me souffle ma sérénade. Sur ma vie repose le succès de mon entreprise de séduction. J'ai besoin de vous charmer. C'est que je viens du lointain et mon voyage m'a semblé aussi interminable que le périple d'Ulysse. Si vous ne me secourez pas, je mourrai dans l'heure. Ainsi, vous plairait-il de me faire grâce de votre gente hospitalité, belle inconnue?
Maya: Je serai heureuse de vous offrir le gîte, voyageur au long cours. Je suis la Princesse Jamîla, du pays de Maya.

Ah, ah! Elle entre dans le jeu…

Cyrano: Je vous comblerai des fruits de la gratitude, Princesse Jamîla…
Maya: Je vous préviens, mon Seigneur: plusieurs étrangers se sont abîmés au large de mes côtes avant de sombrer dans l'oubli. Leurs cœurs gisent au fond de cette baie. Prenez garde à vous, vaillant prince…

Aimance 888 intervient alors pour nous confirmer que, par notre rencontre, son travail ainsi s'achève:

Aimance: Je m'éclipse pour laisser libre cours au Destin…

Nous la saluons à notre tour. Il me coûte de la laisser partir avec ces intonations d'adieu. Mais une nouvelle déesse prend sa place et ainsi va la vie… Et cette nouvelle déesse, sera-t-elle la rouquine de mes rêves?

Pendant que je me laisse captiver par le jeu des rôles que nous nous sommes attribués, une impression de déjà-vu me taraude l'esprit au sujet des pseudonymes de l'intrigante inconnue. Ma mémoire tente en vain d'en retracer les vestiges. Maya… J'ouvre une nouvelle fenêtre du navigateur Internet pour effectuer une recherche Google avec les mots clés « Maya » et « Jamîla »… Merde! Il y en a pour des dizaines de pages de résultats… J'ajoute « Québec »… Beaucoup mieux: un seul résultat combine les trois mots. Je clique… J'atterris dans un site de croissance personnelle en désuétude. Les couleurs empruntent aux pastels nouvel-âgeux et la typographie utilisée semble téléchargée directement d'un logiciel de traitement de texte. Les références datent toutes d'il y a quelques années, à commencer par le mot de bienvenue qui célèbre une inauguration ayant eu lieu en l'an 2001. Il est signé par une certaine Jamîla Hallab. Aucune photo dans cette page, mais je teste l'hyperlien menant à la version PDF de leur publication officielle.

Double merde! Quelle connerie d'ordinateur: le PDF met des siècles à s'ouvrir et menace de geler l'écran pendant que je ne peux poursuivre avec Jamîla…

Finalement, le document s'affiche progressivement. Il s'agit pour l'instant du haut de la couverture d'un magazine de bonne facture graphique. En se déroulant, l'image dévoile le nom de la revue : *Maya*. Puis le haut de la coiffure… sans doute d'une femme. Serait-il possible que… Bordel ! Excuse-moi, Samuel, mais je n'en crois pas mes yeux !

Revoilà donc, devant mes yeux incrédules, la superbe gitane à l'air mélancolique, aux longs cheveux de jais bouclés et aux multiples bijoux exotiques. Du coup, je me rappelle cette journée pluvieuse d'automne d'il y a plus d'un an et demi, alors que je passais devant un kiosque à journaux et que cette même couverture de magazine m'avait stoppé net. Un coup de foudre. C'est ce dont il devait s'agir à l'époque. Ta mère et moi ne formions déjà plus un vrai couple. Engrossée, elle avait fait croître ma semence et je n'étais manifestement plus qu'un géniteur ayant accompli sa besogne. Je devais être plus ou moins disponible affectivement et puis boum ! l'image de cette magnifique femme me foudroyait sur place.

Le prénom inscrit en grosses lettres cursives au bas de la page ne laisse planer aucun doute sur son identité : « Jamîla ». C'est bien elle… Il faut que ce soit elle… La revoici donc aujourd'hui… à plat sur mon écran cathodique… là, en cet instant précis… maintenant. Elle réapparaît dans ma vie pour m'asséner un second coup de foudre. Et je suis à échanger des répliques romantico-médiévales… avec cette prêtresse des *Mille et une nuits*… à partir de chez moi… branché au site Web officiel des dieux de l'Olympe. Ou je deviens fou à lier ou bien je suis le plus grand veinard de l'histoire de l'Univers ou encore quelqu'un — je ne sais trop comment — est à me piéger dans un canular si minable que, si c'est le cas, je tue le coupable !

Mais comment Aimance aurait-elle pu savoir pour la gitane ?

Pendant ce temps, nous continuons à clavarder (tant bien que mal dans mon cas). Aimance a été habile. Elle a joué sur deux tableaux. Depuis le début du stratagème, datant d'il y a pourtant des mois, elle s'est montrée avare de renseignements sur la personne qu'elle promettait de nous présenter, tout en maintenant notre intérêt, à un point où tout restait à découvrir. Mais elle nous en a révélé juste assez pour que la Princesse de Maya et moi ayons néanmoins l'impression de nous connaître depuis toujours. « Ou est-ce simplement que nous nous connaissons depuis toujours ? » me demande Jamîla. Ou est-ce plutôt qu'Aimance 888 est vraiment la Déesse des marieuses et qu'elle nous sait compatibles en tous points ? N'empêche que tous nos mots coulent de source, Sam. Comme un long fleuve qui nous mènera, je l'espère, à la destination promise.

Je ne puis à la fois courtiser une princesse et conserver le rythme de mes confidences, mon fils. Alors, je te quitte. Reste fidèle au poste et souhaite-moi bonne chance. Je te tiens au courant.

JEUDI 29 MAI 2003 :

Correspondance

Mon petit Sam, toi qui seras grand lorsque tu liras ces lignes, j'aimerais bien te bercer d'un conte de fées médiéval où tous seront heureux et enfanteront à profusion. Mais c'est l'histoire de ma vie, pas celle de la grenouille de Grimm qui se changea en prince (si ça peut t'intéresser, je te propose quand même mon conte de fées personnel, mais je ne garantis pas la finale à la Walt Disney).

Depuis hier, un roman virtuel s'est écrit... Des chapitres entiers sur nos passés, nos joies et nos peines, nos valeurs et nos attentes de la vie. Le résultat de notre fièvre assommerait d'ennui le plus fidèle lecteur de Danielle Steel, alors tu n'auras droit qu'aux faits saillants...

Il s'agit d'un conte de fées résolument moderne. La princesse tunisienne crèche en banlieue, roule depuis une quarantaine d'années sa bosse qu'elle trimballe désormais en carrosse Windstar, a déjà enfanté deux fois — autant de bouches à nourrir — et trime dur pour gagner leur croûte (on oublie déjà le « et ils eurent beaucoup d'enfants »). L'aîné de 10 ans possède apparemment l'âme d'artiste de sa mère, et le cadet de 9 ans, l'esprit mercantile de son père, un riche *businessman* qui s'est expatrié avec sa fortune à Buenos Aires après un divorce difficile il y aura bientôt un an. Les garçons ont demandé à passer la prochaine année scolaire avec leur père, dont ils s'ennuient à mourir malgré leur attachement viscéral à leur mère. Jamîla prend cette demande avec philosophie, mais s'en trouve tout de même déchirée.

Son métier te fera baver d'envie : prof de baladi ! T'essaieras un jour de faire mieux, bonhomme ! Pour dire vrai, Jamîla est une psychothérapeute qui utilise la méditation, le chant et la danse pour permettre à ses patients de sortir leurs bibittes. Mais je retiens qu'elle dansera pour moi comme Salomé…

***

Je viens d'entendre sa voix ronronnante d'oracle berbère pour la première fois au téléphone. Juste à l'entendre, je sentais le souffle chaud et sec du désert sur mon cou. J'ai fondu. Du prolixe Prince D'Arcy je suis passé à la grenouille coassante. Elle a vraiment dû penser qu'un Cyrano avait pianoté du clavier à ma place. J'ai pu articuler un max de dix mots intelligibles. En ont heureusement fait partie : « Veux-tu me voir demain ? »

VENDREDI 30 MAI 2003 :

Rencontre du troisième type

Il faut toujours arriver en retard au premier rendez-vous. C'est écrit je ne sais plus où. Jamîla m'avait invité à passer la prendre vers les 9 h à son centre de formation de Sainte-Thérèse pour aller déjeuner dans le vieux Saint-Eustache, à quelques minutes de là. L'édifice ressemblait à une quelconque clinique professionnelle de banlieue. Mais aussitôt le porche franchi, je suis entré dans un autre monde. Le pas allégé par les effluves d'encens et transporté par le lyrisme sacré de Friends in Spirit, je me suis frayé un chemin parmi les rideaux de perles de Bohème pour aboutir au milieu d'une grande pièce jonchée de coussins pastel, drapée de reflets cristallins et de voiles multicolores de tulle diaphane. L'astre du jour ne semblait pas avoir encore tiré ce lieu du sommeil. Tout au fond de la pièce, une porte ouverte sur le bureau de la mystérieuse Jamîla. Elle s'y trouvait, penchée, de dos, sur ses papiers, ceinte du halo de sa lampe de travail. Sans mot dire, elle s'est redressée lentement puis, d'un mouvement gracile, s'est levée de son fauteuil. J'avais quelques appréhensions au sujet de son apparence et de son âge. Les pros des médias connaissent le génie des infographistes quand vient le temps d'embellir la personnalité tirée à la une.

Puis elle s'est retournée...

Wow! Sam, je prétends au titre officiel de l'unique homme frappé trois fois par la foudre... d'une même femme!

Jamîla est encore plus éblouissante en chair et en os que sur la couverture de son magazine! Elle cultive le *look* gitane que j'espérais... Dieu que son corps racé est sexy dans ses jeans noirs tachetés de couleurs, sa chemise d'été portée à la bohémienne, ouverte sur une camisole décolletée laissant entrevoir des charmes pulpeux... sa peau tannée, ses longs cheveux frisés noirs... ses bijoux un peu clinquants de diseuse de bonne aventure... et son visage aux traits prononcés, mais irrésistiblement féminins, agrémenté de ces grands yeux perçants aux reflets d'aniline. Quelle femme!

Et quelle âme, élevée par une belle quête spirituelle... et travaillée, m'avait-elle déjà confié, par de nombreuses souffrances. Nous avons beaucoup jasé, au café Clé de Sol où une tireuse de cartes a annoncé à Jamîla un nouvel amour... et m'a averti de calmer un peu mon euphorie. Elle m'a percé à jour, mais c'était certainement écrit dans ma face. Elle a terminé sa lecture à 2 $ en la prévenant de prendre soin de sa santé. Jamîla m'a confirmé que deux fibromes utérins s'activaient depuis la demande de ses fils de rejoindre leur père. De mon côté, j'avais l'estomac qui me papillonnait tellement que je n'ai commandé qu'un jus de fruits, et j'étais si nerveux sous son regard intense que ma main tremblotante refusait de porter le verre à ma bouche. Assoiffé, j'ai calé le jus d'un trait pendant qu'elle était partie se rafraîchir. Nous avons ensuite pris la clé des champs, littéralement, vers le parc d'Oka, après une halte sur le site d'une école qu'elle veut transformer en centre de santé thérapeutique — son rêve actuel.

Nous avons très longuement marché sur la plage et dans le bois. Il y avait ce petit vent et je lui ai fait enfiler ma veste... romantique, non? Elle m'a beaucoup parlé de spiritualité et de ses croyances (même pour moi, un peu *flyées*!) Nous nous sommes assis à une table de pique-nique sur la grève et, là, je l'ai remuée en lui parlant de mes impressions, de mes sentiments depuis notre rencontre dans Internet jusqu'aujourd'hui. Ses yeux parlaient. Elle désire que l'on se revoie, mais s'est dite déchirée par des ambivalences: elle se sent fragile, à un mois du départ, peut-être définitif, de ses marmots du bercail maternel.

À suivre…

LUNDI 2 JUIN 2003:

Everything that goes up…

« Et l'enfer c'est toujours: "Je voudrais qu'elle m'aime." »

APOLLINAIRE

J'ai porté ma veste du vendredi tout le week-end seulement pour me rappeler son parfum Opium — un week-end que j'ai passé à espérer qu'elle n'annule pas notre rendez-vous du lundi soir. Mais elle était bien là, à l'heure convenue en train de bouquiner à la librairie Quintessence. Elle s'était fait lisser les cheveux et portait un élégant tailleur beige assorti d'un chandail moulant de la même couleur. Une chaman amérindienne fringuée de griffes italiennes. Le temps était magnifique. Nous avons arpenté la section touristique de la rue Principale de Saint-Sauveur à au moins quatre reprises. Une longue conversation qui est tombée un peu à plat au resto. Comme une voiture en panne d'essence. J'étais à court de sujets, d'anecdotes, d'idées, de cervelle. Je sentais ma cote aussi fragile qu'un « point com » recru au NASDAQ.

Un deuxième rendez-vous qui s'est terminé par un câlin avec vue sur stationnement. Je me suis souvenu de ma théorie des « cases »: ami un jour…

MARDI 3 JUIN 2003 :

la Déesse va à la source

Aimance : Elle te trouve beau mec mais un peu crispé… Défige !
Cyrano : Je t'y verrais bien ! Elle m'hypnotise. Je perds mes moyens dès qu'elle pose ses grands yeux noirs sur moi…
Aimance : Jamîla a besoin d'un mâle entreprenant, pas d'un prince métrosexuel. Question de fille, ici : qu'est-ce que tu portais lors des deux premiers rendez-vous ?
Cyrano : Pantalon foncé, chandail noir à col haut et veste griffée… Deux ensembles différents. Pourquoi ?
Aimance : OK, je vois le problème : tu vas me *lousser* ça, et puis ça presse ! Et ne lésine pas sur le parfum… Jamîla adore ta fragrance.

JEUDI 12 JUIN 2003 :

Cyrano redouble d'efforts

« *Tu inspires chacun des mots s'envolant de la cheminée de mon âme, car ils brûlent de ton feu.* »

TON PÈRE, AMOUREUX

Jamîla m'avait prévenu que son emploi du temps allait être impossible (boulot de jour et priorité aux enfants le soir) jusqu'au début de ses vacances le 13 juin. À cause désespérée, moyens désespérés. Je me suis mis à écrire. Et pas à peu près. La correspondance d'Henry Miller ? Rien là.

J'ai débuté par un petit courriel pour la remercier de la sortie de la veille et la complimenter sur sa féminité. Elle a mordu. Touché ! Puis, je lui ai pondu quelques alexandrins. « Ça me fait fondre le cœur », qu'elle m'a répondu. Encouragé, je l'ai couverte de poèmes aux rimes salées et de courriels sirupeux.

La passion fait couler beaucoup d'encre. Je récolte ainsi en retour une prose prolifique parsemée de « je flotte sur un nuage… » et autres succès. Elle m'appelle désormais tous les soirs avant le coucher, et moi qui déteste autrement le téléphone, nous rivalisons avec les marathons d'adolescentes.

Demain, nous nous revoyons enfin… Le grand jour ?

VENDREDI 13 JUIN 2003 :

Lune de miel

Lever tôt. Temps gris. Jamîla m'attendait à la Clé de Sol pour le déjeuner. Solange, la tireuse de tarot, contemplait les cartes de la belle Arabe lorsqu'elle a presque crié de joie : « As-tu un *chum* ? », comme je prenais place à table.

Voilà qui démarre bien une journée.

J'avais besoin de toute l'aide que le ciel pouvait m'apporter, car les augures étaient autrement sombres. Même si, tout comme moi, Sam, tu n'es pas superstitieux, aimerais-tu embrasser la femme de ta vie la première fois par un *pluvieux vendredi 13 de pleine lune* ?

Pas moi, non merci.

À moins que ce ne soit une coutume gitane de bon présage…

J'en doute, alors je tiendrai le fort jusqu'aux douze coups de minuit.

Mais après une journée féerique de cinoche et de shopping (tu sais que t'es amoureux quand t'appelles « féerique » le fait de visionner en couple un film mélo et d'accompagner la fille à la Place Rosemère), et la rencontre joviale du souper jusqu'au dodo de ses deux (adorables) fils, j'aurai peine à résister. Et elle aussi. Merci de tes conseils, Aimance : j'ai opté pour un *look* plus décontracté : jeans délavés et chemise en lin ouverte — sa façon de me regarder a pour le moins changé ! Austin Powers *rides again* !

Après avoir couché les garçons un peu tard, la sultane arabe fait son apparition vêtue d'une courte djellaba orangée et parée d'un ruban d'or aux cheveux, couverte de métaux précieux des pieds à la tête. Ma mâchoire décroche et est officiellement portée disparue. C'est alors que la magie débute. Elle m'installe confortablement sur des coussins dans le salon, tamise l'éclairage, fait brûler l'encens et allume les bougies, insère un CD de Loreena McKennitt dans le lecteur, prépare le thé et un plateau de pâtisseries tunisiennes, puis s'assoit en tailleur de l'autre côté de la table basse, tout en brassant les lames de tarot de ses longues mains de dentellière. Je me sens tel un cheik du Yémen devant le rituel de sa favorite.

Il était 23 h 15 en ce pluvieux vendredi 13 de pleine lune, et j'allais perdre la notion du temps.

« Penses-tu que ce sera notre soir, Prince D'Arcy ? » me demande Jamîla.

Elle pige une lame et la regarde, un sourire en coin, sans me la montrer : « Je crois que si... À toi, maintenant. »

Je tire la carte du Diable et elle la couvre de celle de l'Amoureux. Jamîla se penche au-dessus de la table. « Voilà les deux pôles qui m'attirent en toi », me dit-elle en me pénétrant du regard. Elle glisse vers moi en contournant la table avec une souplesse féline.

Son regard. Nous passons au moins un quart d'heure les yeux dans les yeux (par moments, c'est insoutenable) à nous effleurer les bras. Le premier contact peau sur peau est électrique. Des frissons me parcourent le corps en entier. Nous franchissons un pas important. Mais la Balance oscille toujours entre la retenue et l'abandon. Nos paumes se rejoignent puis, sa main gauche et ma main droite amorcent une danse lascive et douce. L'intensité augmente, j'embrasse sa paume et la porte à ma joue qui s'approche de la sienne.

Ne me demande plus l'heure...

... mais au moment précis où nos joues se sont frôlées, son regard s'est troublé et c'est la faille que j'ai exploitée pour embrasser la gitane une première fois. Et la passion s'est déclenchée. Jamîla est si sensuelle. La musique était envoûtante, les caresse divines, les baisers voluptueux. Ses courbes, la naissance de ses seins où j'ai plongé à quelques reprises... Ouf ! Ses hanches roulaient d'un désir intense. Ses yeux, ses yeux... j'y plongeais dans un puits d'éternité. Nos âmes se connaissent tellement bien ! Elle sera ma Juliette et ma Jézabel, romance pure et fantasme débonnaire.

Il est minuit moins cinq minutes.
Je suis damné.
Je l'aime.

SAMEDI 14 JUIN 2003 :

L'amour fou

Je me suis éveillé lévitant à un pied du matelas lorsque la sonnerie du téléphone a retenti. Je m'attendais à la chaude voix de Jamîla, mais j'ai plutôt eu droit à celle d'un ténor enroué : c'était Dr Phil qui effectuait un suivi. Par un samedi matin, le maudit zélé…

Bonne humeur aidant, je me suis mis à lui raconter mon tsunami intérieur. La gaffe. Rabat-joie, il a rapidement voulu me faire obstacle. Attention au nouveau SIDA, m'a-t-il prévenu, le « Syndrome Imminent de la Dépendance Affective » te guette, m'a-t-il diagnostiqué.

Crisse… Me voici reparti pour une montée de lait…

Bulletin spécial ! Dépêche de dernière minute !

Actu-flash : L'INQUISITION FAIT TOUJOURS RAGE !

L'inquisition n'est plus affaire d'Église mais de science. Ce n'est plus m'sieur le curé qui met les gens à l'index mais désormais le psy qui vous bourre de complexes. Merci pour le remontant, Dr Phil. Un antidépresseur, avec ça ?

Le véritable nouveau testament, c'est le DSM-IV[18] — la bible pathologique des nouveaux prêtres de la psyché humaine. La rectitude politique a effacé certaines maladies du répertoire mais, tour à tour, à la folie ont été annexés tous les écarts à la norme humaine bien-pensante — la véritable folie, car les gens réputés normaux sont à mourir d'ennui. Tu ne savais pas que l'amour est folie ? L'amour fou !

Et c'est que l'amour est en joyeuse compagnie au lexique des maladies mentales ! L'imagination y a déjà été le synonyme d'une excentricité à tendance psychotique. L'homosexualité ? Une forme de perversion. Le deuil ? Un ravin de dépression. La biorythmie ? Une vilaine courbe maniacodépressive — à ce compte-là, toutes

18. Le répertoire médical des maladies mentales.

les femmes sont des cas de bipolarité chronique. Surtout ne pas échapper un mot de révolte. Surtout ne pas écouter Marc Favreau (Sol) qui m'a dit lors d'une entrevue: « Un jeune qui ne se rebelle pas, il m'inquiète. » Mais non, mon vieux, la rébellion est aussi cataloguée maladie chronique. Bourrez-moi ça de Ritalin! Les rebelles, ce sont des « borderline », des mésadaptés sociaux et des mégalomanes — ou pire encore: des amoureux idéalistes!

La folie existe-t-elle vraiment?

Un jour, on découvrira probablement que les schizophrènes sont simplement des gens doués pour converser avec la cinquième dimension. Ils seront consacrés comme les Christophe Colomb de l'au-delà. Par leurs yeux hagards, nous prouverons l'existence de l'après-vie. Dieu existera. Ce seront des héros!

Personnellement, je trouve que la folie est sous-estimée. Elle devrait être la norme enseignée dans nos écoles. Encouragez les jeunes à penser autrement. En fait, les inciter à penser tout court serait déjà un pas gigantesque.

La dernière hérésie mise à l'index: la passion amoureuse. Oh! la méchante dépendance! C'est une honte d'en montrer les symptômes: admettre le manque de l'autre, marcher sur la tête pour faire rire l'autre, inventer des mots pour l'autre, s'embellir de l'autre. Ne surtout pas lui dire qu'on en a besoin. Je ne parle pas d'une pompe pour respirer, d'une béquille pour marcher droit ou encore d'un bouche-trou pour combler un vide. Non, juste le besoin de l'autre pour rêver un peu. Parce que les gens ne rêvent plus. On les gave de réalisme, de téléréalité, d'objectifs à court terme, de livres intitulés *Les 7 étapes pour (mieux baiser, mieux s'enrichir, mieux réussir, etc.) et vivez heureux... demain matin!*

Un jour, une fille plutôt froide m'a balancé, le plus sérieusement du monde, avec le ton d'une snobinarde au-dessus de tout cela: « Toutes les chansons d'amour ont été écrites par des dépendants affectifs maladifs. »

Oh! la passion, quelle folie! Oh! l'amour, quelle maladie! Les voilà, les maladies que j'aimerais y voir inscrites, à l'index des psys de pacotille: le nombrilisme, l'étroitesse d'esprit, le bec pincé, l'oreille bouchée, les yeux fermés, le cul serré, la chatte cloîtrée... Tout orifice devrait être ouvert au va-et-vient. Ouvrez les fenêtres, laissez pénétrer l'air. Oui, aérez votre cœur, sinon vous aurez le cœur fermé, enfermé, à enfermer.

Libérez les fous et enfermez les trouillards. La peur… S. v. p., trouvez-moi un foutu remède contre la peur !

Et pendant qu'on y est, la langue de bois, mettez-la aussi à l'index. Une fois cataloguée maladie grave, on pourrait ainsi enfermer tous les politiciens.

Oui, je suis amoureux. Amoureux fou ! *Shootez*-vous à la PEA — l'hormone de l'amour — et venez me rejoindre au *rave,* Dr Phil, ou enfermez-moi dans vos préjugés. De toute façon, je vous emmerde !

JEUDI 19 JUIN 2003 :

L'amour charnel

Nous n'avions pas consommé l'amour au sens moderne de l'expression lors de la soirée de notre premier baiser. Mais nous avions fait l'amour plus que je ne l'avais jamais fait de toute ma vie d'adulte.

Lors de toutes les soirées qui ont suivi, Jamîla a répété le rituel sacré du premier soir. Les nuits se sont faites de plus en plus longues et les matinées de plus en plus grasses ! Chaque soir, nous repartions d'où nous avions laissé la veille, sans avoir raté un battement de cœur, pour ensuite aller toujours plus loin. C'était électrique, passionné, magique. La première fois que j'ai mis ses seins à découvert pendant qu'elle roulait des hanches au rythme de ses cymbales sur un air oriental, la plus belle scène érotique de ma vie s'est déroulée sous mes yeux. Je n'étais que désir et passion dévorante. Et la gitane répondait généreusement à mes baisers et à mes caresses. Elle me jurait qu'elle croyait léviter à certains moments. Ses gémissements… oh ! ses gémissements !

Sa peau brûlante est un pays étranger. Une nation où la femme place l'homme sur un piédestal pour qu'il puisse en retour la faire grimper au septième ciel. Nous pouvons y accéder par le simple toucher. Jamîla peut atteindre le nirvana par mille et un ports d'accès. Elle m'enseigne tout…

La belle Jamîla m'a inspiré le texte que je te retranscris ci-dessous… Sam, je te le confie pour que tu confondes madone et putain, passion et complicité, car c'est selon moi la seule façon d'aimer.

JULIETTE ET JÉZABEL

« C'est la culpabilité de sa sexualité
qui conduit l'adolescent à diviser
le monde des femmes en deux:
la femme que l'on baise et la femme que l'on aime. »

YVON DALLAIRE

Ma belle, si belle Jamîla, tout ce que tu m'inspires! Tu es la femme d'entre les femmes, avec toi nul besoin des autres, car tu les as toutes en toi. Tu es princesse et maîtresse, déesse et prêtresse.

Tu es l'innocence de la Juliette de Shakespeare qui, les yeux rêveurs et la mine un peu triste, vient chercher en moi le prince au cœur valeureux et pur. Un petit prince qui, par l'intensité de son amour, dressera une échelle vers les hauteurs insondées de ton balcon de blessures.

Mais Jamîla, tu es aussi la sulfureuse Jézabel, l'inspiration sensuelle déclenchant en moi un violent torrent passionnel... Cette bouche avide et gourmande, ces délectables seins généreux soumis en offrande, ces hanches de décadence. Tu danses et m'ensorcelles; m'enlaces et excites mon zèle.

Oh! Ma Jézabel!

Ton voluptueux corps de bronze, ce merveilleux instrument de plaisir. Le stradivarius des corps de femmes: il frémit sous mes doigts et se convulse sous mes baisers. Ce corps vibre d'une âme libre, à la corde sensible, se livre à toutes les nuances, soupire d'extase et gémit de passion: quelle sublime musique! Il s'abandonne aux caresses vers un crescendo langoureux au zénith frénétique, quelquefois ta peau frissonne et quelquefois elle brûle tel un enfer où je me consume.

Puis, d'un effleurement, tu mates l'animal, assagis sa virilité inassouvie. Tes mains si douces, prolongées de dix pétales de rose, me ramènent à ma Juliette soupirant son amour. Le nectar de ta bouche devenue câline et au souffle court me nourrit de romance, me bouleverse et amène l'eau à mes yeux, tes bras me bercent, ton chant m'apaise, tes longs cheveux me caressent... et tes prunelles me transpercent l'âme et je te reconnais, toi qui, vie après vie, étais la femme de mes *Mille et une nuits.* Tes yeux, alors, j'y plonge et m'y perds, estourbi de souvenirs indicibles, d'une compagne qui fut de toujours maîtresse, épouse, muse et amie solidaire, oui ! la femme en compagnie de laquelle je ne pensais à nulle autre, car toutes les femmes étaient en elle comme en toi, ma déesse éternelle.

Oh ! Ma Juliette ! Oh ! Ma Jézabel !

Je m'enivre de ton parfum, l'opium des effluves féminins, et grâce à cette drogue les mots me viennent au rythme de tes reins. Car tu m'inspires des notes joyeuses et des plaintes tristes, des pensées salaces et des poèmes sublimes, un amour à la fois charnel et divin.

Je ne sais si je me rendrai à ton balcon, mais mon cœur ne sera jamais tenté par l'abandon. Entends-tu mes mots, Juliette ? Sinon, ce sera mon corps qui te parlera, Jézabel !

Samedi 21 juin 2003 :

L'amour malade

Et le septième jour, Dieu se reposa et contempla son œuvre. C'est ce que j'ai fait jeudi, le septième jour de notre torride passion, lorsque j'ai composé mon hymne à Jamîla.

Mais ne s'est-on jamais demandé ce que Dieu fit du huitième jour ? D'après moi, il y a anachronisme biblique. Ce n'est pas Noé mais bien Adam qu'Il a foutu au large dans un déluge de larmes détruisant tout derrière lui et balayant ainsi toute trace de ses méfaits.

Jamîla ne m'a dit qu'une seule fois « je t'aime ».

C'était hier.

Pourquoi suis-je si morose, alors que je devrais jouer du violon sur les toits et chanter ma victoire aux passants ?

C'est qu'hier, au huitième jour, Dieu a tout foutu en l'air…

En un vendredi soir où le soleil allait se coucher peinard après une journée de plomb, la ravissante Tunisienne accompagnait ses fils au Centre Bell pour un concert de Star Académie. Il s'agissait de leur dernière sortie à trois avant le départ aller simple des garçons pour l'Argentine, prévu pour minuit à Dorval.

Dans la soirée, j'étais à papoter au téléphone avec Maryse quand l'autre ligne s'est manifestée. Je prends, c'est Hassan, le frère de Jamîla. Il est à l'hôpital. Elle est à l'hôpital. Aux urgences. Elle a versé la moitié de son sang dans les toilettes du Centre Bell après qu'un fibrome — ou les deux — eut disjoncté. Un pied dans la tombe, juste avant sa transfusion, elle a demandé à son frère de chercher mon numéro de téléphone dans son sac à main. Elle était tellement *out* qu'elle ne s'en souvenait plus. Si les choses tournaient mal, ses instructions n'étaient pas qu'on avertisse sa mère ou qu'on appelle ses fils à son chevet. Non, ses seuls mots ont été : « Je tiens absolument à ce que Stéphane sache que je l'aime. Dis-lui que Princesse de Maya aime son Prince D'Arcy... il comprendra. »

C'est donc une armoire à glace de six pieds quatre pouces, à la voix de baryton, velu à m'en donner un complexe, qui m'a déclaré l'amour de Jamîla. Il a raccroché. Je suis resté planté là, stupéfait et parfaitement incrédule. J'ai passé l'heure suivante le cœur en lambeaux, tour à tour élevé par le nirvana de la révélation amoureuse et recalé dans la flotte émotive. Je me suis dirigé vers l'hôpital Saint-Luc, le pied droit menaçant de trouer le plancher de la voiture.

Les enfants ont dû quitter avec Hassan avant même que je puisse prendre le relais. Une infirmière des urgences m'a raconté la scène. Ça se passe de mots... J'ai veillé Jamîla toute la nuit, qu'elle a passée dans un perpétuel tiraillement entre l'appel des anges du paradis et l'enfer de ses douleurs.

Je viens de revenir chez moi après cette nuit blanche à son chevet. On l'a sauvée. Mais on devra l'opérer. Probablement une hystérectomie complète.

À suivre...

LUNDI 23 JUIN 2003 :

Le vieux loup de mer

La gitane se remet. On l'a transférée à la Cité de la Santé de Laval. J'ai pris congé d'elle, confiant, et je suis allé chercher le confort du paternel.

Ce qui m'a amené à vivre quelque chose de précieux avec mon père cet après-midi. J'ai pris une pause en sa compagnie au pub du coin, et je lui parlais de Jamîla, de mon inquiétude pour elle et de ce qu'elle avait de si spécial à mes yeux.

Je ne t'ai pas encore conté le côté sombre de ton grand-père, ce bonhomme un peu buffle qui, tel le Taureau qu'il est, plongeait ses cornes dans le matérialisme aux dépens de son entourage. Ce type qui m'était étranger quand j'avais besoin de lui dans ma jeunesse. Celui qui a trompé ma mère et lui a déshydraté les glandes lacrymales. Celui qui l'a accablée de mots crus, durs, avilissants. Celui que je détestais et craignais, mais dont je désirais tant l'attention…

J'ai vieilli, et maintenant je ne le juge plus comme avant. Je vais au moins une à deux fois par semaine chez mes parents et je profite de la proximité géographique depuis ma séparation pour me rapprocher d'eux davantage. Malgré leurs nombreux défauts, je les aime beaucoup, car l'amour qu'ils m'ont prodigué est indiscutable. Si j'aime tant maintenant, c'est qu'ils m'ont aimé et m'aiment toujours.

Aujourd'hui, le bonhomme est vieux et fragile. Toujours rugueux tel le marin qu'il a été, toujours un feu sur le point de s'allumer dans ses yeux, comme aux beaux jours du combattant syndical qu'il a été, mais lorsque je me promène et discute avec lui, je sens son âme vaciller, telle la flamme d'une chandelle au bout de sa cire, âme de vieux soldat blessé dont la carapace s'étiole, montrant de larges cibles vulnérables au tir ennemi.

Ma haine a disparu. Et je suis heureux de voir que la pitié ne l'a pas remplacée. Alors j'aime l'accompagner et panser un peu sa solitude. Et, à sa façon, il m'apprend beaucoup. Quelquefois, nous allons au ciné ; à l'occasion, nous plaçons un pot entre nous et nous nous racontons nos expériences. Le vieux loup de mer n'est pas toujours sage, mais il a énormément de vécu, et du vécu, ça peut toujours être utile.

Alors, cet après-midi, je lui raconte la belle aventure que j'ai vécue avec Jamîla, sa grandeur d'âme, sa volonté de fer, son intellect complice, sa beauté exotique, sa sensibilité à fleur de peau et cette générosité qui m'émerveille… Mon père me connaît. Généralement, il a tendance à ne pas m'encourager ; il a toujours cru que les femmes de ma vie n'étaient pas faites pour moi parce qu'il ne voyait pas briller en moi une flamme assez vive pour elles.

Mais aujourd'hui j'ai été touché par sa réaction. Il a reconnu en mes yeux pétillants la passion de sa vie pour une femme qu'il a rencontrée à mon âge. Il est soudainement devenu pensif. Puis il m'a raconté la découverte de cette Marielle aux cheveux roux frisés, en fin d'après-midi rencontrée au bar d'un petit hôtel de Québec où elle travaillait.

L'endroit était vide et ils ont bavardé longuement. Elle venait de vivre un divorce douloureux, et lui se sentait étouffé par ma mère. J'avais 7 ans à l'époque. Ils ont joué aux dés (j'ai appris un petit côté nostalgique de mon père que j'ignorais, car le jeu de dés est maintenant dans le salon familial et il le garde en mémoire de cet amour passé) et ri comme des enfants. Il est allé reconduire Marielle chez elle, car son patron ne pouvait exceptionnellement le faire ce soir-là. Ils n'ont pas couché ensemble. Elle l'a invité à monter pour un café alors que ses enfants dormaient, et il lui a donné deux bises avant de partir.

Deux mois plus tard, ils se sont revus au même endroit. La chimie s'est recréée instantanément. C'était beau d'entendre cet homme brisé par la vie décrire la décharge électrique qu'il a ressentie la première fois qu'elle a posé sa main sur son bras. Cette fois, Marielle avait changé son quart de travail pour terminer plus tôt, espérant que mon père l'inviterait à souper. Son stratagème a réussi et ils ont passé une romantique soirée. Il a alors eu un sourire rêveur, encore séduit par le souvenir de Marielle après toutes ces années, en m'avouant son plaisir de la voir rougir à ses mots doux. Encore cette fois, rien ne s'est produit…

Puis, quelques semaines plus tard, le patron de l'hôtel — un ami de mon père qui n'était pas dupe — s'est improvisé entremetteur pour que les deux tourtereaux puissent passer un week-end ensemble à l'île aux Coudres. Et là, plus rien ne pouvait les arrêter. Ils sont demeurés amants, maudits par la morale, pendant environ dix ans. Et c'est pour cela que je n'ai pas vu mon père au cours de mon adolescence, et que ma mère a inondé des mouchoirs toutes ces années.

Je suis resté blessé de toutes ces infidélités. Ainsi, tôt dans ma jeunesse, j'ai décidé que jamais je ne serais infidèle. J'en suis totalement incapable. Mais, dans son récit d'aujourd'hui, j'ai senti le poids de la mauvaise décision de mon père en ce qui concerne *la* femme qu'il a le plus aimée dans sa vie. Ce n'était pas ma mère, mais cette Marielle que je n'ai connue qu'au bout du fil, alors qu'après sa rupture avec mon père elle me suppliait d'une voix rauque de douleur et de nuits sans sommeil de le convaincre de lui parler. Lui parler seulement pour qu'elle comprenne, car il l'avait laissée abruptement un jour de pluie, sans même lui donner une explication, sans se permettre la moindre pause d'introspection, par pitié pour ma mère à qui il venait de tout avouer.

Bref, mon père a raté sa vie à la suite de cette décision. C'était la première fois qu'il me relatait cette histoire dans les détails et que je réalisais jusqu'à quel point il l'avait aimée. Aussi, il reconnaissait sa passion de jadis dans la mienne pour Jamîla. Il la voyait dans mes yeux, comme j'ai vu Marielle dans les siens. C'est un vieux loup de mer triste et brisé par un amour déçu.

À sa façon bien à lui, il a enfin reconnu en moi ce qu'il attendait pour me dire, un imperceptible trémolo dans la voix : « Je te le souhaite, ce bonheur. C'est important l'amour dans une vie. » J'ai rarement été ému par mon père. Mais cet après-midi, j'ai été ému par lui, comme rarement je l'ai été par quelqu'un.

Outre l'amour inconditionnel que j'ai alors ressenti pour mon paternel et ma tristesse de le voir voguer dans ses larmoyants souvenirs telle une vieille épave en perdition, ma réaction a été de penser à toi, Sam. Puis de songer à quel point je suis heureux d'avoir eu le courage que mon père n'a pas eu — me séparer de Naziane avant que cette relation ne me détruise —, puis la chance, un an plus tard, de rencontrer la femme qui, je crois, pourrait devenir aussi importante que l'amour de la vie de mon père, et ce, malgré ce sacrifice qui m'a éloigné de toi. Et surtout, d'apprécier combien la rencontre d'une femme qui me laisse jour après jour une telle impression et m'inspire un tel élan est une chose rare et précieuse.

Honnêtement, je suis troublé en ce moment. Je ne sais pas où mon serment de suivre mon âme au sujet de Jamîla me mènera. À l'instant, j'ai un peu peur et je suis pris de vertige. Notre amour est neuf et fragile et pris d'assaut par le destin. Mais au moins, dans quinze ans, lorsque j'en parlerai à mon fils — à toi, mon beau Samuel —, je pourrai te dire que j'ai tout donné pour cette Tunisienne au cœur d'or qui un jour m'a charmé au-delà des mots et a élevé mon âme jusqu'à l'extase.

SAMEDI 28 JUIN 2003 :

Samedi noir

J'ai passé le reste de la semaine à l'hôpital, mis à part mes nuits chez Hassan. J'ai pris mes vacances une semaine plus tôt que prévu et j'ai averti tous mes clients de l'assèchement provisoire de ma plume. Je ne prenais même plus mes messages. La poussière s'accumulait dans mon logis, perturbée à deux reprises par le coup de vent d'une visite à la garde-robe.

Jamîla et moi avions déjà convenu de prendre notre mois de juillet de congé ensemble. Seulement, nous établirions désormais un campement chez elle pour toute la durée de sa convalescence. Elle sera opérée lundi matin si son état anémique le permet. Une fois chez elle, je lui servirai de nounou — et serai très comblé de m'être porté volontaire.

Mais voilà, il y a un hic… Un malaise s'est progressivement installé entre nous, au fil de la semaine. Initialement, j'ai mis cela sur le compte d'une femme qui se sent à l'avance amputée de sa féminité, puis sur celui de l'humiliation de dépendre d'un nouvel amoureux… mais il y a plus. Une simple intuition. En fait, un rêve aussi, qui m'a éveillé, couvert de sueur, ce matin.

La scène onirique se déroulait dans la chambre d'hôpital de Jamîla. J'étais ligoté dans le fauteuil des visiteurs pendant que la belle me regardait avec amour de son lit. Non, Sam, petit tordu, ce n'est pas l'amorce d'un fantasme sado-maso ! Puis un homme plus âgé est entré dans la pièce et s'est glissé tout près d'elle. Angoisse. Ils se parlaient de plus en plus mielleusement pour finir par s'embrasser tandis que la gitane reprenait des couleurs. Haute trahison. Ils ont quitté la chambre tout en me regardant, alors que je me débattais comme un diable pour défaire les liens me retenant au fauteuil.

Je tentais de lui crier de rester, mais aucun mot, aucun son ne sortait de ma bouche. Les yeux de Jamîla… J'y voyais de la compassion. Quelle horreur! Presque aussi dur à accepter que de la pitié. Jamîla et son amant ont fermé la porte à clé derrière eux. Je désespérais pendant que je les entendais rire dans le couloir. Réveil au rythme cardiaque frôlant l'attaque.

Premier réflexe: appel à ma douce. «Il faut qu'on se parle, Stéphane.» Ces mots redoutés… Ses parents viennent la visiter avec son frère et ses deux sœurs en après-midi. J'irai la trouver ce soir. Je retourne pour l'instant chez moi, histoire de me rafraîchir un peu. Mais il me faut une oreille, une épaule, une paire de bras accueillants. Maryse accepte de passer la journée avec moi. Nous irons dîner et marcher dans les bois. Avant de quitter l'appartement, je prends mes vieux messages. Rien d'intéressant, jusqu'à ce que je tombe sur la voix éplorée de François…

«Salut, Stef… S'cuze de te déranger. Ça fait une traite qu'on s'est pas parlé… Pis j'aurais besoin qu'on le fasse… Ma blonde est tombée enceinte le mois passé. J'sais pas si c'est de moi, mais elle dit que c'est mon bébé. Pis là, elle vient de décrisser avec un autre gars… A jure que j'vas être son guichet… J'ai même pus une cenne, Stef, elle a bu toutes mes payes… J'me suis encore fait avoir, chu pus capable, tu comprends? Je l'aimais, moé, Julie. Je l'sais que c'est une ado attardée, mais je l'aime, tu comprends-tu? (*Long silence et reniflement.*) En tout cas, rappelle-moi, OK?»

J'ai saisi le combiné et composé son numéro. Personne à l'autre bout. Je lui ai laissé un message et je le rappellerai en fin de soirée…

Dimanche 29 juin 2003:

Pas le cœur à y coller un titre

Je griffonne ces mots sur un calepin pendant que Mike prépare un barbecue dans sa cour arrière, récitant son monologue de circonstance devant les yeux éblouis d'une beauté plastique en bikini, désirable à faire damner un saint. Voici donc comment cela s'est passé hier soir à l'hôpital…

J'arrive donc à la chambre de Jamîla en portant un bouquet de pavots fraîchement cueillis avec la complicité touchante de Maryse. Si on ne peut jurer de la beauté d'une femme qu'à la lumière crue du matin, on sait qu'elle est divinement belle après une semaine de souffrance en jaquette d'hôpital. C'est tout simple: j'en ai le souffle coupé. Je le lui dis. Ce seront mes dernières paroles.

Son visage est fermé. Comme celui qu'elle affichait lors de notre second rendez-vous, alors que selon, ses propres dires, elle tentait de se couper de ses sentiments par mesure de protection. Pour toute réponse, Jamîla me répète les mots d'horreur: « Il faut que je te parle... »

Je prends place sur le côté du lit comme au pied d'une potence. Et elle déballe le morceau en me servant d'abord l'emballage cadeau:

« Stéphane, tu sais que tu es cher à mon cœur, hein?... (*J'opine de la tête avec un restant de grimace craintive.*) C'est seulement que j'ai beaucoup réfléchi et que je suis certaine que je vais mourir si je ne suis pas mes enfants en Argentine; je ne veux pas les laisser s'éloigner de moi et aller tisser des liens avec leur père pendant plus d'un an — peut-être même pour toujours... Après ma convalescence, il faut que j'aille vivre là-bas, Stéphane. Je pensais être capable de survivre à ça comme une grande fille, mais regarde où ça m'a menée... Tu comprends... ? »

Comment ne pas comprendre? Et qu'aurais-je pu dire qui ne m'aurait pas fait passer pour le pire égocentrique de cette planète pourtant bien pourvue en spécimens du genre. Il n'y avait pas d'argument, pas de solution miracle, pas de « oui, mais je changerai... », car il n'y avait rien à y changer. Je n'avais même rien à y voir... Nous étions censés avoir un été devant nous pour jeter les bases de notre histoire. Mais le huitième jour, Dieu avait jeté le script à la flotte.

Elle me répète: « Tu comprends? »

Un trou noir au plexus, je me suis penché vers elle et j'ai baisé ses yeux trempés, comme on donne sa bénédiction. Je n'ai pas émis un son. Je me suis simplement allongé tout contre elle, j'ai placé ma tête sur son épaule, et Jamîla a fait ce qu'elle m'avait déjà confié faire chaque fois qu'un deuil l'attristait: elle a fredonné un chant funèbre tibétain.

***

Je n'ai pas fermé l'œil de la nuit. Mon angoisse frise le *delirium tremens* des alcooliques en sevrage brutal. Ou encore cette agitation nauséeuse des drogués en manque d'héroïne. Je suis en manque de mon héroïne. Mon mantra est: « J'AI MA-A-A-A-AL ! »

Malheur est revenu. On ne déjeune pas. Ce matin, j'ai fait la paix avec Mike, qui m'a accueilli à bras ouverts dès qu'il a su mon drame. « Aye ! C'est pas une chicane qui va séparer deux vrais *chums*, pas vrai ? » Brad Pitt m'a gavé de Guinness et de pina colada dès l'avant-midi. Tant qu'à avoir mal au cœur…

Je flotte dans un semi-coma. J'anesthésie mon spleen. De l'absinthe, quelqu'un ?

LUNDI 30 JUIN 2003 :

Au moins ça de pris

Hassan m'a donné des nouvelles de Jamîla. L'opération s'est bien déroulée. Il l'accueillera chez lui pour toute la durée de sa convalescence. Elle partira probablement pour l'Argentine à la fête du Travail, à temps pour la rentrée scolaire. Mais moi, je préfère croire qu'elle est déjà à l'autre bout du monde…

JEUDI 3 JUILLET 2003 :

Trajeudi

Les tragédies, tout comme les saloperies, vous arrivent par groupes de trois. Après la perte de santé de Jamîla et sa perte tout court, une troisième déflagration allait ébranler mes fondations.

C'est Mike qui me l'a annoncée en revenant de son commerce. Il hébergeait ma carcasse de soûlographe ivre mort depuis quatre jours. Lui dont l'humeur hédoniste ne se troublait que rarement, il faisait une tête d'enterrement.

« C'est Frank…

— Frank ? Ah oui… merde ! Ch'ai complètement oublié de le rappeler. Il m'affait laiché un mechage sur…

— C'est grave…

— Oui, ch'ais… Sa blonde l'a criché là…

— Non, c'est pas ça : ils l'ont trouvé mort chez lui. »

J'ai dégrisé aussi vite…

DIMANCHE 6 JUILLET 2003 :

Funébrailles

Les détails sont toujours scabreux dans de telles affaires. François ne s'était pas raté. C'est Julie, revenant chercher quelques possessions, qui l'a trouvé dans une mare de sang à son logis du Continental — un ancien motel miteux de Val-David aux chambres converties en minigarçonnières louées au mois. J'y avais reconduit François une fois après une tournée des bars. Ces endroits sinistres me font penser à des mouroirs. Et c'est l'usage que François en a fait.

Il n'a pas laissé de lettre d'adieu. Ce qu'il portait était cependant un message en soi : son *tuxedo* de mariage et les photos de Mado et Julie pendues à son cou. Encore heureux qu'il ne soit pas mort en tenant le combiné du téléphone, l'index pointé sur mon nom dans son carnet d'adresses laissé ouvert.

Je suis désolé d'avoir manqué à l'appel, Frank. En chemin vers l'église retentissait sans cesse en moi l'adage « on naît et on meurt seul. » C'est désormais mon unique certitude… La pire pensée que j'ai eue ? « Dieu ! Frank, que j'aimerais aller te rejoindre ! »

La dépouille n'a pas été exposée. Le service avait lieu en matinée. Je suis entré dans l'église avec appréhension. Un frisson m'a parcouru l'échine lorsque le cercueil m'est apparu tout au bout de l'allée. Mes pas étaient sonores dans ce temple presque vide dont seuls les premiers bancs étaient occupés. Occupés par des gens qui, comme moi, n'avaient pas prévu un tel coup d'éclat ou, pire, avaient contribué au drame. On avait déposé la photo de François sur la caisse funeste, une photo où il souriait à belles dents — ce qui me choqua par son aspect grotesque. Moins que ma lâche attitude cependant. En approchant du cercueil, j'ai baissé les yeux. Je ne pouvais regarder en face celui que j'avais laissé tomber, complètement aveuglé par mes petits déboires sentimentaux. Oh! je sais! Je l'entends déjà, outre-tombe, excuser mon comportement. Je l'entends déjà me consoler de mes misères amoureuses et me dire que, pour lui, c'est bien mieux ainsi. Je l'entends, oui, et je le vois clignant de ses yeux attendrissants me réaffirmer son amitié inconditionnelle en m'ouvrant tout grands ses bras de Samaritain avec la simplicité d'un frère André. Mais en ignorant son appel de désespoir, lancé de sa sordide chambre du fin fond de la campagne, je l'ai laissé mourir seul comme un chien abandonné à la fourrière. Lui qui serait accouru à mon secours à ma moindre défaillance émotive. On ne peut regarder en face celui qu'on a trahi... même par omission.

J'avais aussi peine à diriger mon regard vers son ex-femme, Madeleine. Sa seule présence pressait mon estomac comme un citron au reflux amer. Je n'ai jamais pris part à une scène au symbolisme aussi fort: ce qu'on s'apprêtait à célébrer, c'était bien plus que la mort d'un ami, c'était la mise en terre de l'amour.

À la fin de la messe, j'ai porté son cercueil, l'âme envoûtée par les envolées poignantes de l'*Agnus Dei*, comme on porte une lourde croix dont on mériterait qu'elle nous aplatisse face contre terre. Je m'en veux, François. Pardon.

Johnny aussi figurait parmi les porteurs, toujours aussi stoïque malgré la tristesse de l'événement. Je le revoyais pour la première fois depuis des lustres. Il va bientôt déménager à Bois-des-Filion avec sa Rebecca. Autour de la fosse, j'ai aussi aperçu l'air de marbre de Mado, les deux inconsolables enfants de François et, bien sûr, Naziane. Je ne l'avais pas encore vue depuis notre séparation. C'est toujours Mado qui m'accueillait lorsque j'allais te chercher à Ottawa. Elle a pris beaucoup de poids. Son visage est bouffi et défait. Il y avait une misère indicible dans ses yeux lorsqu'ils ont croisé les miens. De la tendresse mêlée de souffrance, ou était-ce de la culpabilité? Je n'aime pas te l'écrire, Sam, mais ta mère ne m'a inspiré que le mépris.

***

Au retour du cimetière, Johnny est allé rejoindre sa Rebecca, tandis que Mike et moi nous sommes noyés dans les pichets de sangria. Assis à une terrasse de la rue Principale, Brad Pitt osait, en dépit des circonstances, porter son regard prédateur sur les poupounes de Saint-Sauveur qui déambulaient au bras de leur *sugar daddy.*

Mike était de retour dans son élément. Le macho insensible revenait au galop.

« Ça, mon Stef, c'est mon marché cible ! »

L'écœurant, comment pouvait-il... ? La bêtise machiste était-elle son seul moyen de se couper de sa douleur ? Était-il même capable de ressentir la douleur ?

« Tu peux les avoir aussi facilement que les autres, ai-je dit sans conviction. (Je n'avais pas la force intérieure de le remettre à sa place.)

— Non... eux autres, c'est pas seulement le *flash* qui les attire... c'est le *cash.* Il ne me manque pas grand-chose pour jouer dans leur ligue, mon *chum.* Johnny m'a dit qu'il va tout faire pour me trouver une BMW décapotable. Une Z3. Gris métallique. Le style de bombe des films de James Bond. Elle est quasiment aussi bien roulée que Monica Bellucci. Avec ça, m'a toutes les sauter ! Pis j'veux un yacht. Je te promets qu'un jour on va profiter du soleil en plein lac Champlain, ben écrasés sur le pont d'un yacht en train de se faire sucer par quatre pétasses blondes aux seins comme des torpilles, tabarnak... Compte su moé. »

Mike commençait à m'inquiéter. Ce mégalomane n'était pas encore content d'être un Brad Pitt, son vrai but était de devenir Hugh Hefner !

« Tiens... une comme elle, là ! Viens icitte, beauté ! » s'est époumoné l'Italien pendant que tout le monde se tournait vers notre table. La fille a profité de son passage devant nous pour nous faire un bras d'honneur avec le mépris au visage. Un visage sans identité. Les yeux plissés et le bec pincé. Le visage du mépris des hommes. Le temps s'est suspendu. Au ralenti, les traits des femmes qui m'ont déçu ou trahi se sont substitués à ceux de l'inconnue. Tour à tour ce sont Naziane, Catherine, Stéphanie et toutes les Icebergs Carriéristes que j'ai rencontrées au cours de la dernière année qui m'envoyaient paître. J'ai songé à Mado et à Julie qui dansaient sur la tombe de Frank. Même Jamîla, mon seul repère positif, n'avait été que le leurre fabriqué par les dieux et les déesses de l'Olympe pour me faire mordre à l'hameçon de l'amour. Mike avait raison : je n'avais été qu'un stupide poisson d'y croire. Aimance 888 n'était qu'une conspiration céleste pour que je perde la foi.

Et j'ai perdu la foi... Les Julie, les Mado et autres Naziane de la Terre vont en payer la note. Je te le promets, Frankie.

« T'as gagné, Brad...

— Qu'est-ce que tu racontes ?

— Nous deux contre les mantes religieuses ! »

VENDREDI 15 AOÛT 2003 :

La vendetta des Brad Pitt

« Que souhaite celui dont la maison a brûlé ?
Que brûle à son tour tout le monde entier. »

ABOU SHAKOUR,
Les premiers poètes persans

J'avais pris énormément confiance en ma masculinité et en mon pouvoir de séduction en compagnie de Jamîla. De son côté, Mike n'avait plus à faire ses preuves. Nous nous sommes servis de la musique pour créer un duo d'enfer auprès de la gent féminine. Nous avons embauché un ami de Mike à la batterie et faisions deux *sets* de blues musclé tous les vendredis soir au Boomers de Saint-Sauveur.

Nous avons fait un malheur : lui le tombeur métrosexuel *clean cut* et moi l'artiste bohème tourmenté au *look* Stevie Ray Vaughan avec cheveux longs et mouche sous la lèvre inférieure. Nous nous sommes partagé le marché sans compétition. La sélection se faisait naturellement : les plus jeunes pour lui et les femmes mûres pour moi. Je suis devenu le spécialiste de la femme en crise. Plusieurs victimes de la névrose de la quarantaine sont comme des étudiantes de cégep. Des rebelles qui savent ce qu'elles ne veulent plus, mais ne savent pas ce qu'elles veulent vraiment. Elles se cherchent avant de trouver mieux. Leurs hormones sont au plafond et leur cœur sur la table de nuit, pendant qu'au lit elles sont cul par-dessus tête.

Si vous voulez une baise, séduisez-en une et vous serez servi. Elles vous feront tout ce que leur ex-mari rêvait qu'une pute leur fasse. Mais si vous cherchez l'amour... préparez-vous aux montagnes russes, version pour adultes seulement, et accrochez bien votre cœur. N'ayez cependant crainte pour votre virilité. Ces femmes l'honoreront. Elles ont atteint l'apogée de leur maturité nirvanesque et ne mesureront pas vos exploits à la longueur de votre bitte. Non, vous serez mesuré sur la grille de leur longue liste de besoins — pour plus de la moitié, affectifs et sexuels. Vous aurez moins de chance de trouver l'amour avec un grand « A » que la gaudriole avec un grand « G »... point. Pour peu que vous donniez sans ménagement, vous serez le don Juan de leurs nuits. Le problème, c'est en se levant le lendemain matin. Là, vous saurez ce que leurs maris avaient à endurer. C'est pour cette raison que j'en étais venu à filer à l'anglaise avant que le soleil se lève.

Devenir un Brad Pitt, un tombeur sans âme comme Mike, ça n'a pas été une option mais une simple conséquence de la vie. Les gens ont tout faux lorsqu'ils déclarent que les gars comme moi sont comme ceci ou comme cela...

Non, Geneviève, je ne suis pas un phényléthylamine *junkie* en manque de sa prochaine dose. Je suis désormais sevré. Cupidon, ce *pusher* de la passion, je ne l'attends plus et l'ignore quand il me met en joue. Ses flèches empoisonnées à pointe de seringue ne perceront plus jamais ma carapace.

Non, Charles Paquin[19], je ne suis pas un ado attardé refusant de vieillir. J'ai plutôt 120 ans. Loin derrière moi, ton Homme Whippet. Je suis désormais si rigide que si je plie je casse... on m'émietterait ensuite comme un biscuit sec. Alors, je me tiens droit.

Non, India Desjardins, je ne suis pas un « amourophobe » atteint du sida du troisième millénaire. J'ai surpassé l'étape de

---

19. Pamphlétaire québécois, auteur de *l'Homme Whippet*.

la peur. Mon système immunitaire n'a jamais été aussi fort. Je n'ai plus peur de rien, car je n'ai plus rien à perdre. Je suis comme ces trompe-la-mort qui conduisent leur bolide à 160 km/h au ras des falaises. La Grande Faucheuse, je lui ris au nez et l'invite à dîner.

Non, Gilles Lipovetsky[20], je ne suis pas un narcissique hédoniste. Ça, c'est une couverture. Mon apparence est un leurre. Je ne fais pas l'amour avec moi-même ni avec personne d'autre au demeurant. Surtout, je n'éprouve aucun plaisir. Ma jouissance est celle d'un tueur à gages qui décharge son Colt 45 sur qui ose se mettre dans son chemin.

La vérité, c'est que je suis devenu psychopathe. Sans remords ni conscience. Oui, c'est ça, un psychopathe de la baise, un bourreau des cœurs. Tout comme Mike. Un désabusé qui plante sa bitte dans la femme comme un couteau pour lui faire crier mon nom de douleur. Mon truc, c'est la sodomie. Je suis devenu sodomite et je n'attends plus que le courroux de la délivrance ! Je n'ai plus de *rush*, plus de peur, plus de sentiment, plus de désir, plus de plaisir, plus d'amour-propre. Je n'ai que la haine et la rage.

J'ai traversé le désert de l'amour sur une route à sens unique parsemée d'oasis factices. Au bout de cette route, il n'y a qu'un vieux temple décrépit de haine et de rage. Maya n'était effectivement qu'illusion ! J'aurais tué mon père s'il m'avait dit cela à 16 ans. Mais je ne suis pas désolé, Sam. Pourquoi te bercerais-je d'illusions ? Ce que je découvre aujourd'hui, tu l'aurais découvert à ton tour demain. Je t'économise peut-être le voyage. Non, je ne suis pas désolé : c'était moi ou elles.

C'était être Brad Pitt ou mourir.

LUNDI 25 AOÛT 2003 :

Les failles de l'armure

La différence entre le Brad Pitt de Mike et le mien, c'est que son personnage est blindé et sa réserve de colère inépuisable.

---

20. Philosophe français, auteur de nombreux ouvrages sur l'individualisme de la société « postmoderne ».

Sa carapace s'est forgée et épaissie de près de trois ans d'assauts au front. Moi, il y a à peine trois mois je jouais au Prince D'Arcy en compagnie de la Princesse Jamîla au pays de Maya, armé d'un glaive de bois dans une barque propulsée par la rame de Cyrano, le tout sous l'œil bienveillant de la Déesse de l'Amour. Tu vois ce que je veux dire?

Je ne dis pas que les départs de Jamîla et de François sont digérés. J'ai toujours une poussée de sueurs froides à la pensée de l'un ou de l'autre. Je me réveille en criant presque toutes les nuits d'un cauchemar au sujet de l'un ou de l'autre. Ma foi est toujours aussi vide que nos églises, c'est ma rage qui s'essouffle. Ma réserve de colère a suffi pour me défouler sur ma Fender et entre les cuisses d'une douzaine de femmes pendant une traversée du désert de plus de 40 jours — ce qui n'est pas rien. Mais ces deux dernières semaines, mon carburant de colère s'est épuisé et ma carapace s'est un peu ramollie.

Les failles de mon armure ont pour nom Jamîla et Aimance.

Ne reprends pas espoir pour moi, Sam: Jamîla n'a pas redonné signe de vie et ne le fera assurément pas; bien que je me surprenne souvent à espérer entendre sa voix au bout de la ligne, lorsque je réponds au téléphone.

La Déesse de l'Amour? Sans doute à la suite d'un interminable courriel où je faisais le procès orageux de ses talents de marieuse, Aimance 888 m'a pour sa part boudé de longues semaines. Elle tente depuis dix jours de reprendre contact. J'ai pour l'instant ignoré ses tentatives. Mais honnêtement, mes positions défensives sont fragiles et il ne suffirait que d'une phrase bien placée pour que je dépose les armes…

C'est que j'ai besoin d'elle.

JEUDI 28 AOÛT 2003:

La surprise d'Aimance

Mme Cupidon a décoché dans le mille, ce matin.

J'étais déjà à mon poste à 8 h 15 lorsque j'ai reçu ce courriel de la Déesse:

Stéphane,
Es-tu prêt à recevoir mon amour?
Aimance 888

Elle a réussi à créer chez moi une réaction:

Ne t'avise pas de recommencer ton petit manège… SD.

Et le coup fatal, lorsqu'on connaît ma curiosité…

Je suis prête à te rencontrer… Ne veux-tu pas voir la Déesse de l'Amour?
Rends-toi au sentier pédestre qui croise le chemin du Village à Morin-Heights. Fais 100 pas vers l'est, emprunte le sous-bois et tu aboutiras dans une clairière. Demain à 15 h. J'y serai.
Aimance 888

VENDREDI 29 AOÛT 2003:

Rendez-vous inattendu

Mon rêve récurrent est revenu. Pour la première fois depuis le printemps, j'ai fait le songe de la séduisante rousse à la bibliothèque. Cette fiancée de mes rêves, est-ce finalement Aimance? Est-elle la projection onirique d'un Amour de ma vie qui s'est tu sous le pseudonyme d'une marieuse virtuelle? Une héroïne de tragédie grecque qui m'a poussé par amour dans les bras de quelqu'un d'autre, se croyant inapte à faire mon bonheur? Ou simplement inapte au bonheur…

J'ai eu la tête dans les nuages toute la journée. Je ne pouvais fixer mon attention sur les artistes que j'interviewais lorsqu'ils me parlaient de leurs projets futurs. C'est avec soulagement que j'ai terminé ma dernière entrevue vers 14 h pour me rendre très à l'avance au point de rendez-vous, une clairière ceinturée d'augustes chênes que seuls quelques rayons privilégiés du soleil perçaient à jour. Je me suis adossé à l'un des sages de l'enracinement. Son contact m'a apaisé. Le bruissement de ses feuilles, agitées par une brise annonciatrice d'un automne hâtif, m'a à la longue miraculeusement plongé dans un état de méditation semi-comateux. J'ai sursauté lorsque des pas ont fait craquer des brindilles derrière moi. Une voix familière s'est fait entendre…

« Salut ! »

J'ai bondi sur mes jambes.

« Quoi ? Toi ?… Qu'est-ce que tu fais ici ? »

Du coup, tout a pris sens : son frère concepteur graphique qui avait pu lui bâtir le site Web de l'Olympe, les choses qu'elle savait de moi sans que je les lui aie dites au préalable, la familiarité des clavardages qui me rappelaient le quotidien des discussions avec… Ce n'est pas vrai ! Elle a réussi à me duper une seconde fois ! Je voyais rouge…

« Fâche-toi pas, Stéphane… Laisse-moi t'expliquer, OK ? J'ai pas voulu te faire de mal… »

Anne (Naziane) se tenait là, devant moi, les yeux implorants et la commissure des lèvres tremblotante.

« Tu vas quand même pas me dire que tu fais pas les choses par exprès ! Ça t'a pris un vrai plan stratégique de 100 pages pour me faire Sam dans le dos et te sauver avec lui… Pis là, t'as tiré les ficelles de deux personnes pour en arriver à me détruire. Tu m'as manipulé pendant plus de six mois, crisse ! Pis t'as le culot de venir jusqu'ici… pour me parler en pleine face pour la première fois depuis que t'es partie… pour essayer de me faire accroire que tu voulais pas me faire *mal* ?

Elle a effectué trois pas vers moi, j'ai reculé de six.

« Je t'aime, Stéphane… Pas de la manière qu'une épouse devrait aimer son homme, je l'sais. Mais je t'aime. C'est pour ça qu'Aimance t'a demandé si t'étais prêt à recevoir son amour. J'en ai marre de vivre étouffée à pas pouvoir te parler, à pas pouvoir te dire que je regrette certaines choses, à pas pouvoir te remettre Sam dans les bras… C'est de mon ami que je m'ennuie, pis du père de mon p'tit. Il te ressemble tellement ! Je l'ai emmené avec moi à Saint-Sauveur. Il t'attend chez tes parents. Tu peux le garder pour la semaine si tu veux.

— Mais qu'est-ce qui t'empêchait de me dire tout ça avant… ?

— (*Long soupir.*) C'est compliqué… »

Anne met sa lâcheté sur le compte de la possessivité de Mado. C'est trop facile, mais je la connais suffisamment pour savoir qu'elle n'a pas la force de caractère pour affronter sa conjointe, une avocate doublée d'une matrone dont François me parlait la queue entre les jambes et le dos voûté. Elle m'a épousé en pleine quête d'identité sexuelle, mais elle me jure n'être tombée amoureuse de Mado qu'après que le mariage eut été célébré. Que jamais elle n'avait conçu notre enfant tout en planifiant un divorce. « Je voulais fonder une famille avec toi. » Pour le reste, c'est la culpabilité qui l'avait fait se sauver comme une voleuse avec Sam. C'est Mado qui l'aurait poussée à demander mon évaluation parentale sous des prétextes habiles et qui lui aurait aussi mis une tonne de pression sur les épaules pour inséminer les embryons restants. « C'est pourquoi j'étais soulagée lorsque tu as refusé. Mado voulait avoir un enfant avec moi. Un enfant qui ne dirait jamais "papa". Elle voulait tellement que ce soit le nôtre qu'elle en méprise Sam. C'est rendu que je lui en veux pour ça. Je lui ai dit que j'allais la quitter. Va falloir que j'apprenne à vivre seule, moi aussi…

— Mais pourquoi Aimance 888, la quête de l'Amour de ma vie… pourquoi Jamîla ? Et comment savais-tu que j'avais eu un coup de foudre pour elle en regardant sa photo dans un kiosque à journaux ? C'est impossible…

— Aimance m'a permis de garder le contact avec toi. Je m'ennuyais de ton ouverture d'esprit, de ton humour sarcastique. Puis je m'ennuyais de te parler, point. Et…

— Et Jamîla ?

— La journée où tu l'as vue en photo, je venais à peine de te déposer au centre-ville. Il pleuvait des clous et je t'ai vu stopper ta course brusquement devant le kiosque. On aurait dit que le monde venait de s'arrêter de tourner pour toi. Tu t'es penché pour saisir le magazine. Pis t'es resté deux longues minutes hypnotisé devant l'illustration de la couverture, complètement détrempé, avant de redéposer la revue et de repartir avec l'air bêta d'un lunatique en manque de médicaments. J'ai reconnu la gitane affichée sur la couverture de la revue. Je la voyais une fois l'an à un congrès de médecine alternative. Elle ne passe pas inaperçue, comme tu sais ! Je l'ai recroisée à la fin de l'automne. J'ai su par personnes interposées qu'elle venait de se séparer et que son mari était parti pour l'étranger. Je me suis présentée à elle par l'entremise d'Aimance, quelques semaines avant toi. Et l'hameçon avait ferré la prise, comme dirait mon père…

— Mais pourquoi te donner tout ce mal?
— Parce que t'es un bon gars qui mérite plus que ce que j'avais pu te donner. Mado t'a volé ta femme et j'y ai consenti. Je t'ai blessé. Je t'ai trahi. Je voulais me racheter, Stéphane. Je voulais compenser en te présentant à celle qui te mériterait vraiment. Je voulais te savoir heureux… Tu comprends?»

Le problème, c'est justement que je comprends trop… Anne m'est tombée dans les bras. Nous avons braillé comme des veaux. On a passé des heures à s'expliquer, à rire, à pleurer en alternance — à faire la paix.

Nous avons quitté la clairière bras dessus, bras dessous, comme les vieux amis que nous avions toujours été sans que je m'en sois douté. Le cœur en paix.

***

Avant de refermer la portière de sa voiture, Anne m'a regardé droit dans les yeux puis elle m'a dit: «Tu te rappelles ce texte émouvant sur l'amour déçu de ton père? Tu y écrivais que, peu importe ce qu'il adviendrait de toi et Jamîla, tu pourras un jour dire à Sam que tu ne regrettes rien de votre histoire. Parce que, contrairement à ton père, tu n'auras pas baissé les bras avant d'avoir tout tenté pour faire de Jamîla la femme de ta vie. Une question: t'es vraiment sûr que t'as tout donné?»

SAMEDI 30 AOÛT 2003:

Et si Humphrey Bogart bénéficiait d'une seconde chance?

«Hassan? C'est Stéphane… tu me replaces?
— Bien sûr, Stéphane. Ça va bien? m'a-t-il demandé de sa voix d'ogre bienveillant.
— Écoute, je veux savoir: est-ce que Jamîla part toujours pour l'Argentine ce week-end?
— Oui…
— Quand, exactement?

— Très tôt demain matin. C'est moi qui les reconduis à Dorval.

— OK, ne lui dis rien, mais je serai là !

— Mais Stéphane, non, mais attends… »

Clic !

DIMANCHE 31 AOÛT 2003 :
L'inéluctable destin de Bogart

Mon petit Sam, comme tu auras 16 ans lorsque tu liras ce journal, j'aimerais bien alimenter ta propension naturelle à l'idéalisation romantique en te pondant un scénario de retrouvailles à l'aéroport, avec fondu sur un couple s'embrassant jusqu'à en oublier pourquoi ils étaient tous deux dans les emmerdes deux minutes auparavant. Mais c'est un épisode de ma vie, pas de celle d'un personnage de Tom Hanks (si ça peut t'intéresser, je te propose *Sleepless in Seattle*… Ne loue pas *Casablanca,* c'est trop triste).

Je me suis évidemment rendu à l'aéroport. Mais j'ai raté l'heure d'embarquement. Il m'a fallu m'énerver pour qu'on accepte d'avertir Jamîla de ma présence, et elle est apparue — toujours à couper le souffle — escortée de gardiens de sécurité. On m'a prévenu que je n'avais qu'une minute pour lui déballer mon cœur. Et je m'y suis appliqué : « Je ne peux accepter de vivre sans toi… Pas avec ce que nous avions… Et si je partais te rejoindre… Ils ont bien Internet à Buenos Aires… Je pourrais y être correspondant pour le *Globe and Mail* et… »

J'en étais à la 45e seconde de la déclaration minutée lorsque le disque a fait « scratch ! ». C'est alors qu'est apparu, l'air inquiet, M. Baladi en personne, entouré de Massoud et Chadi. Soudain, le nuancé « c'est moi qui *les* reconduis à Dorval » m'a sauté aux neurones.

Et, à la mine compatissante que m'a adressée ma gitane en prenant son mari par la main, j'avais compris qu'elle ne serait jamais plus ma gitane…

Fin de l'histoire.

PRÈS D'UN AN PLUS TARD…

Juin 2004 :

Le dernier chapitre sera le premier

Sam,

Dieu nous donne tous la force d'accepter, avec le temps, les choses qu'on ne peut changer. C'est le courage (et la sagesse) d'aller au bout des choses qu'on peut accomplir qui nous manque bien souvent… Anne avait bien raison : je n'avais pas encore tout donné. Après ce dur matin à l'aéroport — après être allé vraiment jusqu'au bout de ma passion —, j'ai pu entreprendre le vrai deuil de ma gitane aux longs cheveux de jais, à la peau de bronze et aux yeux perçants d'aniline. Un deuil beaucoup plus doux. Et un deuil beaucoup plus élargi. L'avant-veille, j'avais aussi pu faire la paix avec Anne. À travers elle, j'avais fait la paix avec la femme. Le plus difficile de ce deuil a été d'envisager qu'une autre puisse un jour réunir toutes les qualités de Jamîla — la femme en compagnie de laquelle je ne pensais à nulle autre, car toutes les femmes étaient en elle.

Si je t'écris presque une année complète après les événements, c'est que j'avais besoin d'une sabbatique de silence. Je viens de terminer mes dix vrais premiers mois de célibat, car je n'étais pas cette fois à la recherche de quelqu'un d'autre mais de moi-même. Aucune attente, seulement le bonheur tranquille d'un cœur solitaire mais entouré d'amitiés nouvelles.

Alors pourquoi t'écrire aujourd'hui plutôt qu'hier ou demain ? C'est que j'ai une histoire extraordinaire à te raconter.

***

Hier soir, je marchais paisiblement sur ma montagne des Laurentides, contemplant le clair de lune. Et comme je songeais aux femmes du passé pour la première fois depuis très longtemps, j'ai alors décidé sciemment de refaire, intérieurement, le trajet que m'avait proposé Aimance 888 sur les eaux du fleuve de la contrée de Maya. J'ai rallumé une à une les flammes qui ont brûlé aux ports où j'ai jeté l'ancre — quelquefois le temps d'un fantasme ou d'une seule nuit, quelquefois pour des années —, et je les ai aimées une dernière fois avant de les remercier d'avoir éclairé ma route d'homme en quête de lui-même. Puis, je les ai éteintes une après l'autre sur mon passage pour ne plus avoir à regarder en arrière.

Finalement, je suis arrivé au bout du fleuve et j'ai aperçu le temple issu de la Terre et érigé en pont vers le ciel. J'étais à un tel point absorbé par mes pensées que c'était comme si je m'y retrouvais vraiment. La Princesse de Maya y était. Je lui ai donné la bise et je l'ai serrée fort dans mes bras, puis je l'ai remerciée de m'avoir fait le don d'un idéal à atteindre. Jamîla m'a souri. Je lui ai demandé de me remettre sa couronne et de s'en aller vers sa propre contrée et son propre temple afin de laisser sa place à une nouvelle princesse, celle que j'élirai un jour pour allumer à deux une flamme plus persistante, à nourrir au quotidien. Jamîla s'est inclinée aussi gracieusement qu'elle s'était, par une belle matinée de mai, levée de son bureau pour me saluer. Sauf que cette fois, c'était pour me remettre sa couronne et me tourner le dos à jamais.

Hier soir, j'ai pu lui dire adieu.

La nuit jetait son voile opaque sur le mont Habitant. Je me sentais en intime communion avec les forces cachées de l'univers, tout en poursuivant ma marche sous les étoiles. Un vent frais s'est levé. J'ai frissonné. Puis, j'ai replongé en moi pour y faire apparaître un génie féminin sur le pas de la porte du temple, tout au bout du fleuve de Maya.

« Je t'ai fait deux vœux, Génie Aimance 888. Tu as d'abord exaucé celui de me transformer en un Brad Pitt tombeur de ces dames. Puis, tu m'as plutôt proposé celui de l'Amour idéal et j'ai souhaité cette belle possibilité. Tu l'as exaucée pour sept jours, et puis elle fut détruite au huitième jour. Je viens ici reprendre possession de mon cœur pour le remettre à une femme nouvelle : la femme de mes rêves. Génie, tu connais la coutume autant que moi… J'ai droit à un troisième vœu. Et le voici : prouve-moi que mon idéal ne s'est pas incarné en une unique femme et fais-moi rencontrer la femme de mes rêves, la vraie femme de ma vie. Le peux-tu ? »

Elle a croisé les bras et incliné la tête sans mot dire, en signe d'acquiescement et d'obéissance.

Hier, après cette longue randonnée introspective, je suis rentré chez moi en homme neuf et je me suis endormi comme un bébé.

***

Au petit matin, j'ai bondi hors du lit animé d'un enthousiasme qu'aucune raison particulière ne justifiait. Il y avait simplement cette intuitive certitude que quelque chose d'heureux allait m'arriver. Un sourire béat aux lèvres, j'expérimentais la sensation étrangement familière d'une douce chaleur à l'estomac et d'un soleil au cœur. Les brumes d'un restant de rêve se dissipaient dans mon esprit. Un endroit sombre illuminé d'une présence… mais le souvenir était trop vague pour s'y arrêter. La routine d'exercice physique s'est avérée sans efforts. Puis, je me sentais d'attaque pour démarrer tôt une journée de boulot. J'ai consulté mon agenda. Merde ! C'est vrai : une archiviste que je suis censé rencontrer sur son lieu de travail à Saint-Jérôme pour un article sur l'histoire de cette municipalité. Je n'avais même pas noté son nom. La rédactrice en chef de *Branché* ne m'avait transmis que l'adresse de l'endroit où je devais me rendre.

Une fois sur place, on me confirme qu'une mademoiselle Jolicœur m'attend. On m'indique le chemin pour la rejoindre à la salle des archives. Pour m'y rendre, je dois traverser un dédale de rayons bondés de livres, puis descendre d'un niveau en empruntant une cage d'escalier exiguë. Au sous-sol, je parcours un couloir éclairé au néon qui débouche sur une lourde porte de métal dont l'écriteau confirme que je suis au bon endroit. Je pénètre dans une pièce immense, sombre et murée de classeurs. Mon œil est immédiatement attiré par la seule présence affairée dans cette pièce : une femme en robe d'été fleurie me tourne le dos, penchée sur le contenu d'un tiroir ouvert à consulter des fiches. Sa chevelure de feu est balayée par l'étroit filet de lumière lancé à travers le grillage de la seule fenêtre de la cave. Je me rapproche de la jeune rouquine qui entend l'écho de mes pas et se redresse langoureusement avant de tourner vers moi son délicieux visage.

Nos regards se sont aussitôt rivés intensément l'un à l'autre. Une mer émeraude dansait dans ses yeux et m'invitait à y plonger. L'appel n'était pas cette fois-ci le furieux grondement du tonnerre ni la décharge explosive de la foudre. Je te parle ici d'un phénomène beaucoup plus profond, d'une vague de chaleur qui enveloppe la chair, fait fondre les entrailles et embrase le cœur. C'est l'œuvre d'un véritable soleil dont le feu permanent finit toujours par dissiper le plafond gris de l'éphémère éclat de la foudre. Je venais de trouver mon soleil. En un instant d'éternité, nous nous sommes reconnus. Cent fois, elle avait visité les limbes de mes nuits. Cent fois, elle y avait embrassé mes blessures. Cent fois, elle m'avait projeté la prémonition d'un paradis de romance. Une seule fois m'avait-elle versé son chagrin, la tête sur mon épaule, la nuit précédant ma traversée d'un long fleuve virtuel.

Et je te le jure : aussi vrai que je tiens cette plume et aussi naturellement que les gens se disent bonjour, ses premières paroles ont été : « C'est toi... » Ce n'était qu'un murmure à peine audible et nos yeux se sont mouillés d'émoi.

Reprenant son souffle et tentant malhabilement de se ressaisir, elle a rougi, m'a demandé si nous nous étions déjà rencontrés auparavant, puis s'est présentée. Tu la connais, Sam. Elle t'a certainement servi aujourd'hui ton gâteau aux 16 bougies. Elle se prénomme Maya, et je peux sans crainte te révéler qu'elle est la femme de mes rêves...

***

Et toi, mon fils à la veille d'être un homme, écris ta propre aventure, épouse la folie, sois à l'écoute de tes rêves et poursuis-les jusqu'au bout du long fleuve de ta destinée. Chemin faisant, ne crains ni la foudre qui t'éblouira le temps d'un été ni les icebergs qui fondront tous au soleil — ton soleil, celui que tu trouveras bien un jour près d'un temple au pays d'une Maya bien à toi.

Et surtout, ne dis jamais : « Brad Pitt ou mourir... »

transcontinental
IMPRESSION
IMPRIMERIE GAGNÉ